CH00660605

Skorpion Horoskop 2023

Rubi Astrologa

Published by Rubi Astrologa, 2022.

SKORPION HOROSKOP 2023

First edition. November 17, 2022.

Copyright © 2022 Rubi Astrologa.

ISBN: 979-8215656990

Written by Rubi Astrologa.

SKORPION
HOROSKOP
2023
Alina A. Rubi
Angeline A. Rubi

Wer ist Skorpion?
Skorpion-Persönlichkeit
Allgemeines Skorpion-Horoskop

Skorpion-Monatshoroskope 2023

Januar 2023
Glückszahlen
Februar 2023
Glückszahlen
März 2023
Glückszahlen
April 2023
Glückszahlen
Mai 2023
Glückszahlen
Juni 2023
Glückszahlen
Juli 2023
Glückszahlen
August 2023
Glückszahlen
September 2023
Glückszahlen
Oktober 2023
Glückszahlen
November 2023
Glückszahlen
Dezember 2023
Glückszahlen
Die Tarotkarten, eine rätselhafte und psychologische Welt.

Acht Pentakel, Tarotkarte für Skorpion 2023

Runen des Jahres 2023

Tiewaz, Skorpion-Rune 2023

Glücksfarben

Skorpion

Glückliche Amulette

Kerzenfarben für Rituale

Warum funktionieren meine Rituale nicht?
Die Magie der Zeit
Bad für die rückläufige Merkurperiode
Rituale für das Zeichen des Skorpions
Ritual für Geld am Tag der Sonnenfinsternis.
Liebesritual am Tag der Sonnenfinsternis
Kubanisches Ritual für den Überfluss
Aztekischer Zauber für Gesundheit
Zauber, um beim Glücksspiel zu gewinnen.
Ritual zur Eliminierung von Diskussionen
Die Pyramiden und die Liebe
Ritual zur Reaktivierung der Leidenschaft
Ritual zur Beseitigung der Distanz
Schlechtes Energieneutralisierungsritual
Glücksquarz
Feng-Shui und Liebe
Reinigung Ihrer Amulette oder Talismane
Astrallarven und Energieparasiten
Wie man das Haus vor Larven oder Astralparasiten schützt
Objekte, die Wohlstand anziehen.
Objekte, die Wohlstand behindern.
Welches Sternzeichen ist das sicherste?
Wie man Menschen erkennt, die nicht zu uns passen, ohne Fehler zu machen.
Ihre sexuelle Karte aus astrologischer Sicht.
Die Sternzeichen und der Sinn für Humor.
Bibliografie
Über die Autoren

Wer ist Skorpion?

Datum: 24. Oktober - 22. November
Tag: Dienstag
Farbe: Schwarz, Dunkelblau, Rot
Element: Wasser
Verträglichkeit: Stier, Fische

Symbol:
Modalität: Fest
Polarität: Weiblich
Herrschender Planet: Pluto und Mars
Home: 8 Tod und Sex
Metall: Eisen
Quarz: Smaragd, Onyx, Turmalin
Sternbild: Skorpion

Skorpion-Persönlichkeit

Skorpion ist ein intensives Zeichen mit einer emotionalen Energie, die im gesamten Tierkreis einzigartig ist. Obwohl es ruhig erscheinen mag, hat der Skorpion eine Aggression und einen inneren Magnetismus, der im Inneren verborgen ist.

Er ist mächtig und sein Charakter kann Vorteile oder Risiken für andere verursachen. Ihre Hartnäckigkeit und Willenskraft sind einzigartig, aber dennoch sind sie überempfindlich und leicht von den Umständen um sie herum beeinflusst.

Skorpion hat eine magnetische und rätselhafte Persönlichkeit. Er macht seine Gefühle nie bekannt. Voller Glamour und Charisma erobert es leicht die Aufmerksamkeit aller. Er ist faszinierend und aufrichtig und deutet seine Anwesenheit mit Diskretion an.

Er betritt nicht dramatisch einen Raum, der darauf wartet, Aufmerksamkeit zu erregen, sondern zieht es vor, durch seinen Magnetismus zu überzeugen, zu verführen und zu überzeugen. Diese persönliche Macht verleiht ihm eine ungewöhnliche Fähigkeit zur Manipulation. Sie sind emotional und leicht verletzt, in der Tat können sie

Verlieren Sie völlig die Geduld, wenn sie sogar fälschlicherweise wahrnehmen, dass jemand sie beleidigt hat. Sie wissen nicht, wie sie sich verstecken sollen und können übermäßig kritisch sein.

Skorpion ist nicht aufzuhalten, wenn er sich aufmacht, etwas zu tun. Seine Stärke wird fast obsessiv. Nichts und niemand kann ihn aufhalten. Diese Eigenschaft gibt dir eine große Fähigkeit zur Materialisierung, wenn du dich zutiefst dafür einsetzt, etwas zu erreichen. Sie zeigen selten ihre wahren Gefühle, mehr als eine Ausweichtechnik ist ihr bevorzugter Weg, um zu verhindern, dass sie ihre Gefühle schädigen. Dies macht sie ständig zum Opfer von Stress. Aber das hindert sie nicht daran, anzugreifen. Sie können mit ihren Worten verletzend sein, sogar mehr als mit ihren Taten.

Weil sie immer falsch denken. Auf der anderen Seite achten sie auf das Wohlergehen ihrer Familie. Sie werden nichts dagegen haben, das volle Gewicht der Familie zu tragen und ihnen echten Schutz zu bieten.

Der Skorpion ist intuitiv und schafft es, weit über die anderen Zeichen hinauszusehen. Er ist ein ausgezeichneter Charakterbewerter und konnte enormes Einfühlungsvermögen entwickeln.

Auf der positiven Seite macht diese Fähigkeit es leicht, das Vertrauen aller zu erobern. Sie sind zutiefst umgänglich, aufrichtig und großzügig in der Aufmerksamkeit, die sie den Bedürfnissen anderer schenken. Um keine Aufzeichnungen zu führen, müssen Sie genau verstehen, was die Handlung der anderen Person motiviert hat. Nur so vergisst und vergibt er.

Allgemeines Skorpion-Horoskop

Allgemein

Im Jahr 2023 können Sie nach so viel Warten alles erreichen, was Sie wollen. Es bedeutet nicht, dass Sie aufhören werden, es zu versuchen, aber die Dinge werden nach zwei Jahren der Transformation viel einfacher für Sie sein. Wagen Sie es in diesem Jahr, Sie selbst zu sein, Ihre wahre Essenz zu zeigen, und Sie werden sehen, wie Erfolg und Wohlstand in Ihr Leben kommen.

Während sich der Planet Uranus zu Beginn des Jahres in rückläufiger Bewegung durch das Stierjahrhundert befindet, werdet ihr weiterhin eine Umstrukturierung in eurem engen Freundeskreis und in euren Beziehungen vornehmen. Die Finsternisse von 2022, insbesondere die vom 8. November, haben die Grundlagen eurer engsten Beziehungen erschüttert, und diese Auswirkungen werden noch bis Mai in Kraft sein.

Wie auch immer, entfernen Sie Ihren Sicherheitsgurt erst im Oktober, wenn eine weitere Sonnenfinsternis im Zeichen des Widders auftritt, die Ihrem Unterbewusstsein einen starken Schlag versetzen wird.

Der Mars, der durch Zwillinge durchquert, beendet seine rückläufige Bewegung im Januar, durch Ihren Finanzbereich, und hier enden Ihre finanziellen Unregelmäßigkeiten.

Merkur beginnt das rückläufige Jahr im Steinbock bis zum 18. Januar, in Ihrem Kommunikationsbereich, achten Sie genau auf die Art und Weise, wie Sie kommunizieren, die E-Mails, die Sie senden, und kaufen Sie an diesen Tagen keine elektronischen Geräte.

Pluto im Steinbock genießt es, Änderungen an Ihrer Persönlichkeit vorzunehmen, bis zum 23. März, wenn er seinen Transit zum Zeichen des Wassermanns macht, dort für mehrere Monate und dann zurückkehren wird, um alle anstehenden Angelegenheiten abzuschließen.

Jupiter, der glückliche Planet transitiert durch das Zeichen des Widders durch Ihren Bereich der Gesundheit und Arbeit, dies ist ein unglaublich positiver Transit für Ihre Vitalität und um jedes Projekt abzuschließen, das mit retrograden Bewegungen verzögert wurde.

Saturn beendet seine zweijährige Zeit im Wassermann für Ihr Familienhaus, wo er Sie gezwungen hat, alle Familienprobleme zu lösen und Ihrem Zuhause Struktur zu geben. Am 7. März zieht der Herr des Karmas und der Einschränkungen im Zeichen der Fische in Ihr Zuhause der Romantik und des Spaßes.

Mars wird Ihr Zeichen vom 12. Oktober bis zum 24. November passieren, und in diesen Monaten werden Sie spüren, dass Sie eine andere Energie haben und viel mehr Begeisterung als sonst haben werden. Dies ist eine perfekte Bühne, um neue Unternehmen oder Projekte zu gründen. Der Asteroid Ceres in Ihrem Abonnement in diesem Zeitraum wird Ihnen zusätzliche Ressourcen gewähren und Ihnen das Gefühl geben, bei allem, was Sie beginnen, sicher zu sein.

Am 5. Mai tritt in Ihrem Zeichen eine Mondfinsternis auf, die Ihre Emotionen stimuliert, und Sie werden den Mut haben, die Änderungen vorzunehmen, die Sie während der Finsternisse 2022 nicht vorgenommen haben. Denken Sie daran, dass in Zeiten von Eclipse die Empfindlichkeit zunimmt, also versuchen Sie, nicht Sie selbst zu sein.

Liebe

Dies wird ein Jahr der Intensitäten in der Liebe sein, etwas sehr Typisches für dein Zeichen, aber du wirst ein Gleichgewicht in deinen Beziehungen erreichen, wenn du es vorschlägst. Denken Sie daran, andere nicht für ihre Handlungen zu verurteilen, weil wir alle unterschiedlichen

Wege und Missionen haben, und sich selbst nicht zu verurteilen. Dies gibt dir die Möglichkeit, in deinem sentimentalen Bereich voranzukommen.

Wenn Sie bereits einen Partner haben, sollten Sie einen Reißverschluss in den Mund nehmen, um die Person neben Ihnen nicht zu kritisieren, Sie müssen einfühlsam sein und Ihrem Partner erlauben, seine Wünsche auszudrücken, denn nur so wird er ein gegenseitiges Verständnis erreichen. Lerne zu geben und zu empfangen und die Gefühle anderer nicht so manipulativ zu behandeln. Jedes Problem begegnet ihm mit guter Laune.

Wenn Sie Single sind, werden außergewöhnlich gute Aussichten auf Ihrem Weg erscheinen, aber dafür müssen Sie Ihren Freundeskreis erweitern und die Maske abnehmen, damit Sie Ihr wahres Selbst lehren, sonst werden Sie in den gleichen bösartigen Mustern der Vergangenheit weitermachen. Wenn du dich selbst akzeptierst, werden andere dich auch akzeptieren, das ist eine Herausforderung, aber es ist möglich, und es wird die Art und Weise sein, wie du diese besondere Person anziehst, mit der du dein Leben teilen möchtest.

Mit dem Transit zu Beginn des Jahres des Mars in Zwillingen rückläufig besteht die Herausforderung darin, Ihre emotionalen Bindungen zu stärken, und es ist möglich, dass Schwierigkeiten bekannt wurden, denen Sie aus Angst nicht dem nächsten Jahr gegenüberstehen werden. Dies ist Ihre Chance, alles, was nicht funktioniert, in einen Sack zu packen und wegzuwerfen. Wenn du das tust, werden neue und andere Menschen in dein Leben kommen.

Merkur, der Mitte April bis Mitte Mai rückläufig ist, gibt Ihnen die Möglichkeit, Ihre Beziehungen erneut zu überprüfen, und jedes Problem oder jede Person, die noch aussteht, kann Sie loswerden. Schon wenn die Mondfinsternis vom 28. Oktober stattfindet, werden Sie von gesunden Beziehungen umgeben sein, und wenn es zufällig eine gibt, die nicht gut funktioniert, beobachten Sie sie mit einer Lupe und Sie wissen, was Sie tun müssen.

Neptun in deinem Liebesbereich im Laufe des Jahres 2023 kann karmische Beziehungen in dein Leben bringen, mit denen du vergangene Lebensverträge hast, oder dich motivieren, eine spirituelle Verbindung mit denen um dich herum herzustellen. Denken Sie daran, dass Liebe manchmal Opfer ist.

Saturn schließt sich Anfang März Neptun an. Wenn es bei Saturn zufällig etwas gibt, von dem du nicht gelernt hast, gibt dir der Herr des Karmas die Möglichkeit, es zu tun. Du musst deine Traumata dort lassen, wo sie hingehören und den Moment mit mehr Freude genießen, wenn jemand keinen positiven Einfluss auf dein Leben ausübt, musst du loslassen.

Wirtschaft

Ihr unternehmerisches Talent und Ihr Charisma, in einem Team zu arbeiten, werden Sie viele Arbeitsprojekte gewinnen lassen. Es ist möglich, dass Menschen mit unterschiedlichen Ansätzen auf Sie zukommen, um mit Ihnen zusammenzuarbeiten, von ihnen zu lernen.

Sie werden sehen, wie sich andere Aspekte und Fähigkeiten Ihrer Persönlichkeit in Ihrem Bereich des Berufs entwickeln, Fähigkeiten, die verborgen waren, und das wird der Schlüssel sein, um Ihre Mitarbeiter zu ergänzen und jede Idee zum Erfolg zu führen.

Nach August werden Sie anfangen, viel Geld aus Ihren Investitionen der vergangenen Monate zu generieren. Die Planeten empfehlen Ihnen, nicht übermäßig auszugeben, da Sie andere Investitionsmöglichkeiten erhalten.

Jupiter, in Ihrem Wirtschaftsbereich bis Mai, wird Ihnen bis Mitte Mai außergewöhnlich gute Geschäfts- und Beschäftigungsmöglichkeiten bieten.

Eine Sonnenfinsternis beleuchtet Ihren Arbeitsbereich am 20. April, und wenn Sie hier schlau sind, können Sie viele Anerkennungen und materielle Vorteile verdienen.

Mars, der energische Krieger, kümmert sich von Ende Mai bis Mitte Juli um Ihre Arbeitsangelegenheiten, indem er Ihre Ambitionen erhöht *und Ihnen starke Impulse gibt, um erfolgreich zu sein. Es ist wichtig, dass Sie diese Energie nutzen, denn dann wird die Venus in dieser Sphäre von Ende Juli bis Anfang September rückläufig sein, und es kann Sie ein wenig langsam und faul machen, außerdem kann dies eine Zeit unerwarteter Rückschläge sein, die Ihre Ziele verlangsamen werden.*

Danke Mars noch einmal, wenn er dir im November und für den Rest des Jahres 2023 all die Energie geben wird, die ihn auszeichnet und dir helfen wird, finanziell zu wachsen. Sie werden viele Ressourcen generieren und Sie werden nicht aufhören, Geld zu verdienen, natürlich, wenn Sie mit Ihren Entscheidungen klug sind. Dies ist eine der reichsten und wohlhabendsten Perioden des Jahres für Sie, versuchen Sie, alles unter Kontrolle zu halten. Der rückläufige Planet Merkur in Ihrem monetären Abschnitt in der letzten Dezemberwoche wird jedoch unerwartete Ausgaben mit sich bringen oder Ihre Finanzpläne entgleisen. Sie sollten wachsam sein, nur für den Fall, dass Sie Notfallmaßnahmen ergreifen müssen.

Gesundheit

Eine sehr stabile Gesundheit wird Sie im Jahr 2023 begleiten. Das Einzige, was Sie dazu bringen kann, Ihre Vitalität zu verlieren, ist Stress. Aus diesem Grund ist es wichtig, dass Sie die Ruhezeiten einhalten und Spannungen bei der Arbeit vermeiden, wenn Sie zur Therapie gehen können, wäre es empfehlenswert. Meditieren ist eine weitere gute Option, da Sie der Belastung Ihrer Schultern nicht standhalten können.

Ihr müsst euer Unterbewusstsein von Problemen und Traumata der Vergangenheit befreien, Anfang Januar könnt ihr diese Arbeit der Reinigung tun, wenn die Planeten und karmischen Punkte diese Ziele begünstigen.

Übungen oder Aktivitäten wie Tanzen oder Malen, auch zu Hause, helfen Ihrem Körper und Geist, Giftstoffe freizusetzen. Versuchen Sie, den Verzehr von proteinreichen Lebensmitteln und Vitaminen zu erhöhen. Essen Sie nicht in Eile, genießen Sie Ihr Essen. Wenn Sie stärkere körperliche Arbeit durch einfacheres Ersetzen, können Sie die Muskeln tief entspannen.

Es besteht die Möglichkeit, dass Sie aufgrund von Muskelverspannungen unter Kopfschmerzen leiden, und das beste Mittel dafür ist, Yoga oder eine asiatische Disziplin zu praktizieren, die Sie mögen.

Familie

Sie werden zu Beginn des Jahres aufgrund des Arbeitsstresses und verschiedener Beziehungskonflikte etwas unerträglich sein, Sie werden eine gewisse Intoleranz gegenüber Ihren Verwandten zeigen. Versuchen Sie, einen Rahmen von Prioritäten festzulegen und die Menschen um Sie herum wissen zu lassen, damit Sie die Unterstützung erhalten, die Sie benötigen.

Neue Freundschaften werden 2023 in Ihr Leben kommen, wenn Sie sich entscheiden, Ihre Persönlichkeit auf authentische Weise zu zeigen. Vertreiben Sie Angst und Misstrauen. Sie müssen den Mut haben, neue soziale Kreise und andere Umgebungen zu besuchen, die sich von denen unterscheiden, an die Sie es gewohnt sind.

Saturn in Ihrer Heimatregion bis Anfang März bedeutet, dass Sie sich alten Familienproblemen stellen müssen. Sie werden den plötzlichen Wunsch verspüren, von allem wegzukommen, was Konflikte auf Familienebene mit sich bringt. Sie werden keine Ahnung haben, wie Sie Versöhnung in Ihrem familiären Umfeld erreichen können, aber es wäre gesund für Sie, auf das zu hören, was Ihre Verwandten Ihnen sagen wollen.

Pluto zieht 2023 in dieses Familiengebiet und verleiht diesen Problemen mehr Intensität, wenn Sie also ein ruhiges Familienleben wollen, müssen Sie sie lösen.

Deine Emotionen werden stärker sein, also versuche, Geduld und Toleranz zu bewahren, damit du die Situation nicht verschlimmerst.

Beratung

Es ist an der Zeit, deine Leistungen anzuerkennen und dir selbst ein Geschenk zu machen. Es ist das Jahr, in dem wir darauf vertrauen können, dass das Universum auf, das reagiert, was wir uns wünschen und projizieren.

Sie müssen verhindern, dass häusliche Verpflichtungen Ihr Sozial- und Arbeitsleben behindern.

Ihr müsst daran denken, dass ihr von euren Geistführern und Engeln beschützt werdet, und aus diesem Grund müsst ihr euch besonders fühlen.

Lesen Sie mehr über spirituelle Themen, denn sie bringen Sie der Wahrheit näher und bringen Ihnen viel inneren Frieden.

Machen Sie einen Vorschlag, um jemandem etwas Gutes zu tun, widmen Sie Ihre Zeit gerechten Zwecken, es gibt Millionen von Menschen, die Hilfe brauchen. Geben fühlt sich gut an.

Lernen Sie, aus Vertrauen in Beziehung zu treten und zu kommunizieren, denn dies erhöht Ihr Selbstwertgefühl, etwas Wesentliches für Ihr Wohlbefinden.

Ihr müsst vollständig leben und um das zu erreichen, müsst ihr lernen, alle negativen Gedanken zu unterdrücken, die euch euren Frieden nehmen. Wenn du dir zu viele Sorgen machst, wirst du krank und wirst nicht in der Lage sein, alles Wunderbare in unserer Welt zu genießen.

Wir übertreiben Sorgen immer mit unserer Vorstellungskraft, 90% der Zeit machen Sie sich Sorgen, Dinge passieren nicht einmal.

Skorpion-Monatshoroskope 2023

Januar 2023

Wenn Sie einen Partner haben, wird es ein günstiger Monat sein. Der Frieden, den Sie in Ihrem Leben als Paar erleben werden, wird sich in all Ihren anderen Aktivitäten widerspiegeln. Denken Sie daran, dass Liebe eine Blume ist, um die man sich jeden Tag kümmern muss. Die Zukunft deines Liebeslebens wird durch deine Fähigkeit bestimmt, alle anderen Aspekte deines Lebens auszugleichen.

Wenn Sie Single sind, werden Sie Ihren Seelenverwandten treffen, es kann virtuell sein.

Es ist ein Monat des finanziellen Glücks, wenn Sie wissen, wie Sie die Vermögenswerte, die Sie haben, nutzen können. Finanzieller Erfolg ist in Ihrem Leben möglich, es hängt von Ihrem Willen ab.

In der Gesundheit werden Müdigkeit und Anspannung Sie verhindern. Um es so zu halten, begrenzen Sie Ihre Aktivitäten und trainieren Sie.

Die Atmosphäre an Ihrem Arbeitsplatz wird angenehm sein, die Planeten garantieren Ihnen gute Beziehungen zu Ihren Arbeitskollegen.

Es gibt keine Probleme in Ihrem Familienleben, da Sie sich um die Lösung von Konflikten gekümmert haben. Sie werden Ihren Lieben mehr Freiheit geben, und Sie werden sich mit Ihren Kindern mitschuldig machen.

Es ist nicht die Zeit, von einer Beförderung oder Gehaltserhöhung aufgrund der rückläufigen Bewegungen von Merkur und Mars zu träumen. Wie auch immer, Ihre Verdienste werden in den kommenden Monaten anerkannt.

Nutzen Sie diesen Monat, um Ihr Haus zu organisieren, denn im nächsten Werden Sie zu besorgt sein, um sich ihm zu widmen. Bitten Sie alle in Ihrer Familie, Ihnen zu helfen.

Glückszahlen

3 - 10 - 25 - 29 - 33

Februar 2023

In diesem Monat beginnen die Unternehmen, günstige Ergebnisse zu geben und alle Probleme, die in den letzten Wochen waren, sind gelöst. In den kommenden Monaten werden Sie in der Lage sein, jedes Problem erfolgreich zu lösen und die wirtschaftliche Solidität wiederzuerlangen, an die Sie gewöhnt sind.

In der Liebe hat Ihnen das Verhalten Ihres Partners in einer Situation große Enttäuschung bereitet. Ein Familienmitglied war krank und während seiner Rekonvaleszenz hat Ihr Partner Sie nicht unterstützt. Vermeiden Sie nicht das Unvermeidliche, teilen Sie Ihrem Partner Ihre Entscheidung mit, die Beziehung zu beenden, und Sie werden sich erleichterter fühlen.

Sie sollten Ihre Gesundheit nicht vernachlässigen, achten Sie besonders auf Schmerzen, die Sie in Ihrem Genitalbereich verspüren können.

Sie sollten Ihrem Partner sagen, dass er Ihnen bei der Hausarbeit helfen soll, da Sie viele Verpflichtungen haben, er wird gut reagieren, wenn Sie mit ihm Zuneigung sprechen.

In diesem Monat sollten Sie darüber nachdenken, was Sie in Ihrer Freizeit tun können. Erwägen Sie, Sport zu treiben oder eine Aktivität zu machen, die Ihnen Spaß macht.

Lassen Sie nicht zu, dass sich die Person, die Sie treffen, wegen Ihres Mangels an Zuneigung unwohl fühlt, es ist notwendig, dass Sie das Teilen priorisieren, wenn Sie dies nicht tun, werden Sie sich wahrscheinlich langweilen und Ihr Leben verlassen.

Wenn Sie Single sind, ist es eine gute Zeit, sich wieder zu verabreden, es ist wichtig, dass Sie Ihr Leben wieder mit jemandem teilen, es ist nicht gut, dass Sie zu langer Sonne sind oder Sie müssen wieder an die Liebe glauben.

Glückszahlen

20 - 21 - 25 - 26 - 28

März 2023

Sie sollten keine Investition in Immobilien tätigen; Sie müssen zuerst über andere Prioritäten nachdenken. Sie müssen ein Haus mieten oder Kunst im Haus Ihrer Eltern oder eines Freundes oder länger bleiben.

Jemand hat an dich gedacht, aber er hat Angst, es dir zu sagen, du weißt, wer es ist, aber du hast auch Ängste in deinem Kopf. Es geht um jemanden, den du als Freund betrachtest, und du willst sein Herz nicht verletzen.

In diesem Monat müssen Sie im Leben der Menschen, die Sie lieben, präsenter sein, versuchen, Ihre Familie zu besuchen und mit Ihren Freunden zu teilen.

Sie können einen spektakulären Monat neben der Person haben, die Sie lieben, geben Sie ihm alles, was Sie wollen.

Erwarte nicht, dass alles auf magische Weise geschieht, es ist wichtig, dass du Entscheidungen triffst, die dir helfen, die Ziele zu erreichen, denen du dich widersetzt hast.

Sie müssen Ihre Rechnungen pünktlich bezahlen; Sie werden viele Probleme haben, wenn Sie dies nicht tun.

Am Ende des Monats wird Ihnen ein Moment der Klarheit die Ideen geben, bestimmte Dinge zu ändern, die Sie zweideutig gemacht haben, ohne es zu merken. Dies ist die perfekte Gelegenheit, Fehler mit Menschen zu korrigieren, die sich von Ihrem Leben entfernt haben.

Lass nicht zu, dass eine Person, die du kürzlich getroffen hast, anfängt, dich zu vernichten und für dich zu entscheiden. Sie müssen ein Limit festlegen, sonst wird es äußerst schwierig zu kontrollieren sein.

Glückszahlen

15 - 17 - 19 - 25 - 27

April 2023

In diesem Monat sollten Sie sich auf Ihre Gesundheit konzentrieren. Es ist kein gutes Symptom, das Sie in Ihrem Rücken fühlen, Sie könnten Schmerzen fühlen, die schwer zu lösen sind, wenn Sie nicht sofort darauf achten. Sie werden eine geistige Erschöpfung verspüren, die dazu führt, dass Sie Probleme beim Einschlafen haben. Sie sollten die Einnahme von Schlaftabletten vermeiden, da Sie Sucht nach ihnen erzeugen könnten. Es ist wichtig, sich auszuruhen, Sie sollten nicht nur an die Arbeit denken.

Nach dem fünften Tag erhalten Sie eine außergewöhnlich gute Gelegenheit, Ihre Finanzen zu verbessern, lassen Sie es nicht durch Ihre Hände gleiten. Sie sollten anfangen, Geld für die schlechten Zeiten zu sparen, die vor Ihnen liegen, oder für Dinge auszugeben, die Sie nicht wirklich brauchen.

Haben Sie keine Angst, diesen sinnlichen Teil herauszulassen, der Sie charakterisiert, es ist wahrscheinlich, dass Sie eine Liebesbegegnung mit jemandem haben, den Sie über das Internet in einem Dating-Sit kennengelernt haben. Wenn du in der Liebe Ängste manifestierst, dich dir hinzugeben, musst du dich daran erinnern, dass nicht alle Menschen gleich sind und dass, obwohl du bestimmte Einstellungen wie jemand aus deiner Vergangenheit siehst, das nicht bedeutet, dass alles gleich sein wird.

Du musst aufhören, an diese Person zu denken, die dein Leben bereits verlassen hat, dich darauf konzentrieren, wer seinen Platz einnehmen könnte, denn am Ende des Monats wird die Liebe in deinem Leben sehr präsent sein, denke daran, dass Liebe uns immer zu besseren Menschen macht.

Es ist nicht an der Zeit, Ihr Glück beim Glücksspiel zu versuchen, Ihr Geld zu sparen und es auf andere Weise wachsen zu lassen, die keine Risiken beinhalten.

Wenn Sie ein Haustier haben möchten und ihm all die Pflege und Liebe geben können, die jedes Tier braucht und verdient, tun Sie es, ohne nachzudenken.

Glückszahlen

4 - 5 - 13 - 14 - 32

Mai 2023

Es ist großartig, mit einer Person zu teilen, die Sie kürzlich getroffen haben. Er ist jemand, der ein guter Freund werden kann, und da deine anderen Freunde mit ihren liebevollen Beziehungen sind, die ihre ganze Zeit in Anspruch nehmen, brauchst du jemanden, der in der Lage ist, sich zu verabreden.

Wenn Sie einen Partner haben, müssen Sie sehr aufmerksam sein und versuchen, die Missverständnisse zu klären, da dies der einzige Weg ist, eine Trennung zu verhindern. Sie müssen erkennen, was das Problem ist und Routine in der Beziehung vermeiden.

Du musst wichtige Entscheidungen in deinem Leben treffen; Du hast Angst, was zu tun, und lässt die Zeit über dich verstreichen. Ignoriere nicht die Menschen, die du liebst; Sie werden Sie wahrscheinlich für die kurze Zeit, in der Sie im Haus sind, beanspruchen.

In der Mitte des Monats werden Sie mit Spaltungen in der Familie konfrontiert sein, lassen Sie sich davon nicht beeinflussen, wenn Sie ein oder von denen sind, die beteiligt sind oder, oder in irgendeiner Weise sind Sie Teil dieses Konflikts, dann müssen Sie in der Lage sein, denen zu vergeben, die Ihnen Unrecht getan haben, es ist nicht notwendig, dass Sie häufigen Kontakt mit ihnen haben, Aber wenn Sie eine gute Einstellung haben.

Lassen Sie andere nicht für Sie entscheiden, Sie müssen Ihr Leben in die Hand nehmen, denn es gibt neue Ziele am Horizont, die Sie beschäftigen werden, und diese Menschen wollen die Früchte Ihrer Erfolge nutzen.

Eine Reise, die Sie nicht geplant haben, könnte diesen Monat stattfinden. Nutzen Sie die Gelegenheit, denn es wird eine positive Sache für Sie sein. Dein soziales Leben wird sich ändern und auch deine Freunde. Sie werden den Kontakt zu einigen von ihnen verlieren, und neue Freundschaften werden entstehen, die mehr mit Ihnen verbunden sind.

Sie werden viel mehr Geld verdienen und leichter, aber Sie müssen planen, für die Investitionen der Zukunft.

Sei unglaublich vorsichtig, in was du das Geld investierst, denn sie könnten versuchen, dich auszurauben. Sie tun gut daran, in Projekte im Ausland zu investieren.

Glückszahlen

11 - 14 - 26 - 28 - 30

Juni 2023

Jetzt treten Sie in eine gute Phase Ihrer Rebe ein. Die Gesundheit wird ausgezeichnet sein, und Sie werden Energie übrighaben. Das Wichtigste sind deine Emotionen und dein Gleichgewicht. Wenn es dir emotional gut geht, wird alles andere gut sein.

Sie lassen Ihren Partner beiseite, bereiten Sie eine Überraschung vor, indem Sie ihn zu einem Ausflug an den Strand oder zu einem guten Ort mitnehmen, an dem Sie zusammen genießen können. Sie müssen nicht damit aufhören, da Sie die Fähigkeit verlieren, sich in schlechten Zeiten in ihre Lage zu versetzen. Wenn du nicht ausgehen kannst, ist die Zubereitung eines Abendessens für die Person, die du liebst, eine gute Möglichkeit, ihr für das zu danken, was sie für dich tun. Liebe belohnt immer diejenigen, die nach dem streben, was sie wollen.

Denken Sie daran, dass, wenn Sie das Glück haben, eine Person in Ihrem Leben zu haben, die Sie liebt, Sie sich großartig fühlen müssen, weil nicht jeder diese Gelegenheit hat.

Die Sorge um Ihr Image wird sehr präsent sein und alles tun, um eine totale Veränderung vorzunehmen. Sie müssen sehen, dass t anders ist, und es wird sich ändern. Es kann die Form des Make-ups, der Haarschnitt oder Ihre Art des Anziehens sein.

T und sorgen Sie sich um eine Schuld, die Sie nicht bezahlt haben, die Person, die Sie schulden, hat aufgehört, Sie anzurufen, und Sie waren in Frieden darüber, wenn Sie diesen Monat die Möglichkeit haben, diese Person zu bezahlen, tun Sie es.

Sie müssen dringend Ihre Finanzen organisieren und Sie werden die Notwendigkeit verstehen, diesen Druck, nicht über die Runden zu kommen, nicht zu haben. Es ist an der Zeit, Ihren Jahresabschluss ernsthaft zu überprüfen, auch wenn er Ihnen nicht gefällt. Wenn Sie dies tun, wird das Geld Sie erreichen und Sie können beruhigt sein.

Glückszahlen

3 - 12 - 21 - 31 - 36

Juli 2023

Liebe sollte diesen Monat ein wenig warten, es ist immer noch keine gute Zeit, jemanden zu treffen, wenn Sie es bereits getan haben, sollten Sie ihm immer sagen, was Ihre Absichten sind.

Dein Leben wird ein bisschen kompliziert sein, höre auf die Menschen, die dein Wohl wollen, bleibe nicht gelähmt in deinen Gedanken, außerdem wirst du nicht immer in allem richtig sein, es gibt gute Menschen in deinem Leben, die bereit sind, dir zu helfen.

Diejenigen, die mit Geld desorganisiert wurden, werden es schwer haben, viele Probleme werden auftauchen, aber Mitte des Monats werden sie sich wirtschaftlich verbessern, und Geld wird in sie eintreten.

Sie werden sich stark und krankheitsfrei fühlen. Suchen Sie nach neuen Therapien, um Ihren Körper in Form zu halten. Einige werden alternative Therapien suchen und eine neue Lebensweise einführen.

Sie haben die Chance, ein sehr wichtiges Geschäft nach dem 15. zu schließen, die Bedingungen dessen, was Sie unterschreiben werden, zu überprüfen, sich nicht von süßen Worten von Leuten täuschen zu lassen, die sehr gut wissen, was sie tun, und Sie professionell täuschen können, behalten Sie immer Ihre Intuition im Auge. Vertrauen Sie Ihrem Instinkt und nicht dem, was einige offizielle Informationen sagen.

Wenn du bei deinen Eltern lebst, solltest du ihnen einen Moment des Glücks schenken, auf den sie lange gewartet haben.

Liebe muss mit mehr Intensität gelebt werden, du lässt den intimen Teil unbeaufsichtigt, du musst anfangen, mehr mit der Person zu erkunden, die du neben dir hast, du wirst es nicht bereuen, dies versucht zu haben.

Glückszahlen

1 - 3 - 6 - 16 - 17

August 2023

In diesem Monat können Sie sich Ihrer Vorbereitung auf intellektueller Ebene widmen. Jetzt beginnt ein Zeitraum, der sich über die nächsten drei Monate erstrecken wird, in dem Sie viel Konzentration und Leichtigkeit für Wissen haben werden.

Verschwenden Sie diese Energien aus keinem Grund. In Zukunft wird es Möglichkeiten geben, die Sie nur nutzen können, wenn Sie vorbereitet sind, daher sollte das Studium in den kommenden Monaten keine Priorität für Sie sein.

Sie haben es geschafft, sich schnell an Ihren neuen Arbeitsplatz zu gewöhnen und erhalten in diesem Monat eine Vergütung für all die Sorgfalt, die Sie in Ihren Beruf gesteckt haben. Es wird auch Änderungen in den Hierarchieebenen geben, auf denen Sie arbeiten, diese Änderungen werden für Sie von Vorteil sein.

Im Bereich der Liebe wirst du entdecken, dass dein Partner an jemanden aus seiner Vergangenheit denkt. Es ist eine Beziehung, die vor langer Zeit besonders wichtig war, aber sie endete drastisch wegen des Todes dieses Mannes oder dieser Frau. Es hat keinen Sinn, dich zu belästigen, du hast auch eine Vergangenheit und Erinnerungen. Es ist für Ihren Partner, sich mit Zärtlichkeit an die Person zu erinnern, die in Ihrem Leben wichtig war und die nicht mehr da ist.

Glückszahlen

2 - 26 - 29 - 30 - 33

September 2023

Möglichkeit bestimmter Konflikte in familiären Beziehungen, insbesondere mit Eltern. Ihr müsst sehr geduldig sein, wenn ihr nicht wollt, dass sich der Konflikt in einen endlosen Krieg verwandelt. Es ist besonders wichtig, dass Sie versuchen, die Familienharmonie wiederherzustellen, wenn Sie scheitern, könnte dies Auswirkungen auf Ihre Gesundheit haben.

Es besteht keine Wahrscheinlichkeit eines Umzugs, obwohl einige Reparaturen in Ihrem Haus erforderlich sind.

Die Planeten begünstigen die Kommunikation, es wird viel einfacher für dich sein, anderen die Dinge auszudrücken, die dich stören.

Lassen Sie sich am Ende des Monats nicht von Depressionen ergreifen, suchen Sie Zuflucht bei Ihren Freunden oder Ihrer Familie.

Wenn Sie ein Geschäft haben, wird es eine günstige Zeit sein. Sie werden jedoch feststellen, dass es einen Konflikt zwischen den Mitarbeitern gibt. Ihr müsst diese Situation lösen, denn sonst werdet ihr in Zukunft wirtschaftlich geschädigt.

Sie werden bevorzugt, um am Ende des Monats eine Person zu treffen, für die sie eine unglaubliche sexuelle Anziehung empfinden werden. Sie können mit dieser Person Momente großer Leidenschaft und sexueller Lust verbringen, aber seien Sie nicht aufgeregt, weil es nichts Ernstes erreichen wird.

Sie werden ein Familienmitglied verlieren, das Sie sehr geliebt haben. Diese Veranstaltung wird Ihnen helfen, mehr Ihrer Familienmitglieder, die noch bei Ihnen sind, zu schätzen und zu genießen.

Ihr Partner hat möglicherweise einige Fehler gemacht und Sie sind enttäuscht. Anstatt es ihnen zu sagen, haben sie jedoch eine Haltung der Gleichgültigkeit eingenommen. Dies wird der Beziehung nicht guttun, wenn Sie immer noch daran interessiert sind, sie zu retten.

Es besteht die Möglichkeit, dass Sie eine Erbschaft erhalten oder Glück in der Lotterie haben; Windfall-Gewinne werden aus externen Quellen und nicht aus der Arbeit kommen.

Glückszahlen

14 - 26 - 29 - 30 - 33

Oktober 2023

Wenn die Wirtschaft nicht besonders gut war, wird ab diesem Monat eine Verbesserung beginnen. Sie werden nicht über Nacht Millionär, aber die Möglichkeit, zusätzliches Einkommen zu haben, wird erscheinen, das Ihnen viel mehr wirtschaftliche Freiheit geben wird.

Sie werden eine Diät zur Gewichtsreduktion beginnen und Ihren Lebensstil ändern. Dies wird Ihnen helfen, Ihr Selbstwertgefühl und Selbstvertrauen zu bekräftigen.

Es wird ein Monat sein, in dem Sie Entscheidungen treffen werden, die für Ihr zukünftiges Glück besonders wichtig sein werden. Denken Sie daran, dass nach dem Sturm Ruhe kommt. Der Sturm ist vorüber, und am Ende des Monats beginnt eine sehr astrologisch günstige Periode.

In der Liebe wirst du einen Monat sehr intensiv leben. Dein Liebesleben wird im Chaos sein, und das wird deinen Charakter verändern und dich sehr reizbar machen. Vermeide Argumente, weil du die Kontrolle verlierst und in körperlicher Aggression endest.

Eine der Ursachen für diese Probleme ist Ihre Eifersucht, Sie vermuten, dass Ihr Partner untreu ist, und Sie denken, dass Sie wissen, mit wem. Es gibt Chancen, dass Sie Recht haben.

Seien Sie auf viele Kämpfe in Ihrem Haus um das Geld vorbereitet. Ihr Partner kann die Art und Weise, wie Sie Geld ausgeben oder wie Sie Geld verteilen, in Frage stellen.

Sie werden erkennen, dass Ihr Leben mehr Gleichgewicht braucht, also werden Sie eine Freizeitaktivität beginnen, die Ihnen hilft, sich von der Arbeit zu trennen und Ihren emotionalen Teil wiederzuentdecken.

Sie fühlen sich erstaunlich wohl mit der Position, die Sie an Ihrem Arbeitsplatz einnehmen. In diesem Monat werden sie Ihnen jedoch einen Vorschlag machen, der eine Position mit größerer Hierarchie, höherem Gehalt und natürlich größerer Verantwortung impliziert. Die Idee wird Sie völlig überraschen und Sie werden zuerst darüber nachdenken, sie abzulehnen. Tu es nicht, es ist wahr, dass du glücklich bist, wo du gerade bist, aber das Leben beinhaltet Herausforderungen und Veränderungen, und du hast alle Eigenschaften, um ihnen erfolgreich zu begegnen.

Glückszahlen

7 - 14 - 25 - 26 - 35

November 2023

Es wäre gesund, wenn Sie eine Untersuchung durchführen würden, um zu überprüfen, ob mit Ihrem Fortpflanzungssystem alles in Ordnung ist.

Bei der Arbeit haben Sie die Möglichkeit eines Neubeginns, da in den nächsten Tagen ein Ereignis stattfinden wird, das zwar negativ ist, aber auf beruflicher Ebene zu einem wichtigen Fortschritt wird.

Dieses Ereignis bedeutet jedoch für Scorpions, die nach dem 2. November geboren wurden, die Möglichkeit, dass sie gefeuert oder zum Rücktritt gezwungen werden. Sie sollten keine Angst haben, weil Sie einen anderen Job bekommen könnten.

In der Liebe wirst du viel Enttäuschung erleben. Sie haben das Gefühl, dass Sie derjenige sind, der die Beziehung voranbringt, und dass Ihr Partner wenig Interesse hat. Sie können sich irren; Ihr Partner ist es gewohnt, der Person neben ihm Freiheit zu geben. Versuche, aufrichtig mit ihr zu sprechen.

Am Ende des Monats ist es günstig, Verhandlungen zu führen, wenn Sie das Bearbeiten üben, werden Sie Enthüllungen darüber haben, wie Sie mehr Geld verdienen oder wie Sie das Geld investieren können.

Sie hatten in letzter Zeit heftige Auseinandersetzungen, aber die Dinge werden sich in Ihrem Haus beruhigen. Die Anwesenheit eines nützlichen Planeten schafft die Möglichkeit einer Verpflichtung oder den Beginn einer soliden Beziehung, die so sein wird, als ob Sie verheiratet wären.

Das gesellschaftliche Leben wird am Ende des Monats Spaß machen. Sie werden ausgehen und Spaß haben wollen. Sie werden den Wunsch haben, mit Ihren Freunden zu teilen und gut zu essen. Ihre Kommunikationskraft wird spektakulär sein und Ihnen bei Ihrer Arbeit sehr helfen, Ihre Ziele zu erreichen.

Glückszahlen

17 - 20 - 27 - 33 - 34

Dezember 2023

Es wird ein Monat sein, in dem Sie große Schwierigkeiten im Arbeitsbereich haben werden. Sie werden sanktioniert, wenn Sie an einer Veranstaltung teilgenommen haben, die dort stattgefunden hat, wo Sie arbeiten. Sie sind jedoch nicht dafür verantwortlich, sich zu verteidigen, Sie müssen sagen, wer die Schuldigen sind. Es ist eine schmerzhafte Entscheidung, aber Sie müssen sich entscheiden, ob Sie Ihren Job behalten oder Ihren Kollegen treu bleiben möchten.

Es ist auch unfair, dass Sie für etwas bezahlen, das nicht Ihre Schuld ist, lassen Sie sich nicht von ihnen manipulieren, tun Sie, was Ihre Intelligenz Ihnen sagt.

In diesem Monat gab es eine Tendenz, den Finanzbereich zu täuschen. Sie müssen nicht vorsichtig sein mit Leuten, die Sie durch Schmeichelei in ihre illegalen Geschäfte verwickeln wollen.

In der Liebe werden Sie Momente großer Stabilität mit Ihrem Partner leben. Sie haben jedoch das Gefühl, dass Sie mehr Spaß brauchen. Sei vorsichtig mit den Vergnügungen, die du wählst, weil sie in einer Trennung enden können.

Im Familienbereich ist es wichtig, dass Sie sich in diesem Monat um Ihre Energie kümmern, sich nicht von negativen Menschen, nicht einmal Ihren Eltern, Ihre Vitalität und Freude nehmen lassen.

Sie sind eine übermäßig ehrgeizige Person und das ist eine ausgezeichnete Eigenschaft. Übermäßiger Ehrgeiz kann jedoch am Ende des Monats zu ernsthaften wirtschaftlichen Schäden führen.

Hüten Sie sich vor Exzessen während der Neujahrspartys, da dies Sie teuer kosten könnte. Essen und trinken Sie in Maßen. Fahren Sie nicht, wenn Sie Alkohol trinken. Die letzte Woche des Monats wird kompliziert. Schlafen Sie die notwendigen Stunden und entspannen Sie sich.

Es ist in Ihrem Zuhause, wo Sie Ihre emotionale Stabilität finden werden. Kochen, Geschenke für alle kaufen und Sie werden ein glückliches Ende des Jahres rösten.

Glückszahlen

12 - 13 - 15 - 28 - 33

Die Tarotkarten, eine rätselhafte und psychologische Welt.

Das Wort Tarot bedeutet "Königsstraße", es ist eine alte Praxis, es ist nicht genau bekannt, wer Kartenspiele im Allgemeinen oder das Tarot im Besonderen erfunden hat; Es gibt die unterschiedlichsten Hypothesen in dieser Hinsicht. Einige sagen, dass es in Atlantis oder Ägypten entstand, aber andere glauben, dass Tarots aus China oder Indien kamen, aus dem alten Land der Zigeuner, oder dass sie durch die Katharer nach Europa kamen. Tatsache ist, dass Tarotkarten astrologische, alchemistische, esoterische und religiöse Symboliken ausstrahlen, sowohl christliche als auch heidnische.

Bis vor kurzem war es üblich, sich einen Zigeuner vorzustellen, der vor einer Kristallkugel in einem von Mystik umgebenen Raum sitzt, oder an schwarze Magie oder Hexerei zu denken, heute hat sich das geändert.

Diese alte Technik hat sich an die neuen Zeiten angepasst, hat sich der Technologie angeschlossen und viele junge Menschen fühlen ein tiefes Interesse daran.

Die Jugendlichen haben sich von der Religion isoliert, weil sie denken, dass sie dort nicht die Lösung für das finden werden, was sie brauchen, sie haben die Dualität dessen erkannt, etwas, das mit Spiritualität nicht geschieht. In sozialen Netzwerken finden Sie Konten, die dem Studium und den Lesungen des Tarots gewidmet sind, da alles, was mit Esoterik zu tun hat, in Mode ist, in der Tat werden einige hierarchische Entscheidungen unter Berücksichtigung des Tarots oder der Astrologie getroffen.

Das Bemerkenswerte ist, dass die Vorhersagen, die normalerweise mit dem Tarot zusammenhängen, nicht die begehrtesten sind, was mit Selbsterkenntnis und spirituellem Rat zusammenhängt, ist am gefragtesten.

Das Tarot ist ein Orakel, durch seine Zeichnungen und Farben stimulieren wir unsere psychische Sphäre, den reconditesten Teil, der über das Natürliche hinausgeht. Mehrere Menschen wenden sich dem Tarot als spirituellem oder psychologischem Führer zu, da wir in Zeiten der Unsicherheit leben, und dies drängt uns, in der Spiritualität nach Antworten zu suchen.

Es ist ein so mächtiges Werkzeug, dass es dir konkret sagt, was in deinem Unterbewusstsein vor sich geht, so dass du es durch die Linse einer neuen Weisheit wahrnehmen kannst.

Carl Gustav Jung, der berühmte Psychologe, verwendete die Symbole von Tarotkarten in seinen psychologischen Studien. Er schuf die Theorie der Archetypen, wo er eine umfangreiche Summe von Bildern entdeckte, die in der analytischen Psychologie helfen.

Die Verwendung von Zeichnungen und Symbolen, um an ein tieferes Verständnis zu appellieren, wird häufig in der Psychoanalyse verwendet. Diese Allegorien sind Teil von uns und entsprechen Symbolen unseres Unterbewusstseins und unseres Geistes.

Unser Unbewusstes hat dunkle Bereiche, und wenn wir visuelle Techniken anwenden, können wir verschiedene Teile davon erreichen und Elemente unserer Persönlichkeit enthüllen, die wir nicht kennen. Wenn Sie es schaffen, diese Botschaften durch die Bildsprache des Tarots zu entschlüsseln, können Sie wählen, welche Entscheidungen Sie im Leben treffen möchten, um das Schicksal zu schaffen, das Sie wirklich wollen.

Das Tarot mit seinen Symbolen lehrt uns, dass es ein anderes Universum gibt, besonders heute, wo alles so chaotisch ist und für alle Dinge eine logische Erklärung gesucht wird.

Acht Pentakel, Tarotkarte für Skorpion 2023

Du kannst mit verbundenen Augen durch die Welt gehen, aber es ist besser, dass du über deine Misserfolge und Errungenschaften meditierst, damit du Weisheit und Reife erlangen kannst, auf dein inneres Selbst hörst und entsprechend handelst, damit du Erfolg, Fülle und Glück erreichen kannst. Es ist nie zu spät, ein Studium zu beginnen oder den Beruf zu wechseln, wenn Sie sich auf einen Neuanfang freuen, machen Sie weiter, lassen Sie sich von nichts aufhalten. Für Singles wird es unerwartete Veränderungen geben, sie werden sogar ihre Lebensphilosophie oder ihre tiefsten Überzeugungen ändern müssen.

Runen des Jahres 2023

Runen sind eine Reihe von Symbolen, die ein Alphabet bilden. "Rune" bedeutet geheim und symbolisiert das Geräusch eines Steins, der mit einem anderen kollidiert. Runen sind eine legendäre visionäre und magische Methode.

Die Runen dienen nicht für genaue Vorhersagen, aber sie dienen dazu, dich zu einem zukünftigen Ereignis, einem Thema oder einer Entscheidung zu führen. Die Runen haben eine spezifische Bedeutung für die Person, die es will, aber auch eine Botschaft, die sich auf die Widrigkeiten bezieht, die im Leben entstehen.

Tiewaz, Skorpion-Rune 2023

Es drückt Mut und Sieg aus. Tiwaz führt die Person der kämpfenden Seele mit Zuversicht und Entschlossenheit auf den richtigen Weg.

Es sagt eine Zeit großer körperlicher Stärke voraus. Wenn Sie sich erholen oder krank sind, zeigt es, dass Sie besser werden und Ihre Energie wiedererlangen werden; Im Falle einer Operation wird es gut gehen.

Diese Rune ist das Werkzeug, das das Veraltete oder das, was dir in die Quere kommt, unterteilt, so dass es dich einlädt, bestimmte Dinge loszulassen, zu denen du Zuneigung hast. Es verheißt, dass das, was passiert, besser sein wird als zuvor, auch wenn es traurig oder peinlich ist.

Teiwaz ist die Rune der Ermutigung, des Wertes und der Lieferung. Es zeigt Beharrlichkeit, um die Hindernisse auf dem Weg zu überwinden. Diese Rune sagt den Triumph voraus, wenn deine Ziele legal und ehrenhaft sind.

Diese Rune warnt dich, dass du die notwendige Konstanz hast, um Fortschritte zu machen und Erfolg zu haben, zusammen mit der Fähigkeit, das aufzubrechen, was deinen Kurs behindert.

Entscheide dich zu kämpfen und zu gewinnen. Sie werden sich auf Ihrem Weg Problemen stellen müssen, aber beginnen Sie Ihren Kampf mit Interesse und Überzeugung, da Sie das Potenzial haben, das zu erreichen, was Sie sich vorgenommen haben.

Glücksfarben

Farben beeinflussen uns psychologisch; Sie beeinflussen unsere Wertschätzung von Dingen, unsere Meinung über etwas oder jemanden und können verwendet werden, um unsere Entscheidungen zu beeinflussen.

Die Traditionen, das neue Jahr zu empfangen, variieren von Land zu Land, und in der Nacht des 31. Dezember gleichen wir alles Positive und Negative aus, das wir in dem Jahr leben, das geht. Wir beginnen darüber nachzudenken, was zu tun ist, um unser Glück im neuen Jahr, das sich nähert, zu verwandeln.

Es gibt mehrere Möglichkeiten, positive Energien auf uns zu ziehen, wenn wir das neue Jahr empfangen, und eine davon ist, Accessoires einer bestimmten Farbe zu tragen oder zu tragen, die das anzieht, was wir für das beginnende Jahr wollen.

Farben haben Energieladungen, die unser Leben beeinflussen, daher ist es immer ratsam, das Jahr in einer Farbe zu erhalten, die die Energien dessen anzieht, was wir erreichen wollen.

Dafür gibt es Farben, die mit jedem Sternzeichen positiv schwingen, daher ist die Empfehlung, dass Sie Kleidung mit der Tonalität tragen, die Sie im Jahr 2023 Wohlstand, Gesundheit und Liebe anziehen lässt. (Sie können diese Farben auch den Rest des Jahres für wichtige Anlässe oder zur Verbesserung Ihrer Tage tragen.)

Denken Sie daran, dass, obwohl es am häufigsten ist, rote Unterwäsche für Leidenschaft, Rosa für Liebe und Gelb oder Gold für

Fülle zu tragen, es nie zu viel ist, in unserem Outfit die Farbe anzubringen, die unserem Sternzeichen am meisten zugutekommt.

Skorpion

Weiß.

Es ist die Farbe der Ehrlichkeit, Naivität und des Schutzes. Es gibt uns ein Gefühl der Unabhängigkeit und außergewöhnlicher Möglichkeiten. Weiß beseitigt das Negative und bringt Mut, Vergebung und Konformität. Diese Farbe heilt den Körper, zerstört die Toxizität und lindert mit Reinigung.

Weiß verbessert die geistige Klarheit und das Verständnis und ist äußerst hilfreich bei der Heilung von Hautproblemen. Weiß bringt Frieden und Komfort auf die höchste Ebene und steht für Licht, Wahrheit und totale Hingabe.

Die Perle oder Perle ist ein besonderer Weißton, der den Glauben beruhigt, reinigt und fördert. Es erlaubt dir, mit dem Leben zu fließen und dich mit deiner göttlichen Natur zu verbinden. Es ist die Farbe der Ehrlichkeit, Wahrheit und des Adels, es bringt Klarheit, Frieden und Harmonie in Ihr Leben.

Weiß enthält das gesamte Lichtspektrum und kombiniert alle Farben zu einer. Es repräsentiert solide und positive Liebe. Weiß ist bekannt als eine Farbe der Reinheit und Sauberkeit, die Unschuld und ein neues Leben symbolisiert.

Diese Farbe ist gleichbedeutend mit Geduld und Reinheit. Es ist die stärkste aller Farbschwingungen, da es die reinste Form des Lichts ist. Es enthält alle Farben, mit all ihren Aspekten und Qualitäten.

Es ist eine Farbe, die dir hilft, alle spirituellen Wahrheiten zu akzeptieren und sie auf dein Leben anzuwenden, da es eine Expertenfarbe ist.

Weiß reinigt und vertreibt Disharmonie oder Schäden. Das schafft Immunität gegen Selbstzweifel. Es ist eine sehr stabilisierende Farbe, und alle Unzulänglichkeiten verschwinden in der weißen Farbe,

Es ist eine Farbe, die Gesundheit, Integrität und Vollendung bedeutet, aus diesem Grund sind viele Gesundheits- und spirituelle Institutionen in Weiß gekleidet. Es heilt Krankheiten und Wunden auf allen Ebenen der Existenz,

Der Quarz, der verwendet wird, um die Qualitäten von Weiß darzustellen, ist transparenter Quarzkristall.

Glückliche Amulette

Diese Glücksamulette können Ihnen helfen, ein Jahr 2023 voller Segnungen zu Hause, bei der Arbeit, mit Ihrer Familie zu haben, Geld und Gesundheit anzuziehen. Damit die Amulette richtig funktionieren, sollten Sie sie niemandem leihen, und Sie sollten sie immer zur Hand haben.

Ein Elefant.
Als eines der am meisten geschätzten Amulette wird es für seine Größe und Positivität bewundert. In alten Zivilisationen wurde ein Amulett zu Ehren dieses Tieres hergestellt, um von seinen Qualitäten zu profitieren.

Es symbolisiert gute Schwingungen, aber um effektiv zu sein, muss der Stamm nach oben gebogen sein. Wenn es die Reißzähne zeigt, ist es ein Symbol der Macht.

Wenn du es benutzt, kannst du Neid und schlechte Energien aus deinem Leben entfernen. Es ist ein Bild, das in der esoterischen Welt weit verbreitet ist und mit guten Schwingungen aufgeladen ist. Es steht für Wohlstand, Fruchtbarkeit und Glück. Der Elefant wird Ihnen helfen, die Spitze im beruflichen und persönlichen Bereich zu erreichen.

Sie werden in der Lage sein, Ihre Ziele zu erreichen und Ihre Ideen erfolgreich umzusetzen.

Kerzenfarben für Rituale

Die Farbe der Kerze, die wir in unseren Ritualen verwenden werden, ist wichtig. Alle Farben haben Vibration; Daher beeinflussen sie einen bestimmten Bereich unseres Lebens.

Es ist wichtig zu wissen, was Sie in Ihrem Leben verwandeln möchten oder welche Art von Ritual Sie durchführen werden, damit Sie eine Kerze richtig auswählen, die damit übereinstimmt.

Gelb: Von Natur aus ist es die Farbe der Intelligenz. Eine gelbe Kerze wird verwendet, um die Kräfte des Geistes zu stimulieren. In Ritualen, deren Zweck es ist, jemandem oder etwas Freude zu vermitteln. Es ist die Farbe der Sonne, Vitalität und der Wunsch zu leben. Es ist eine Kerze, die in Situationen der Traurigkeit verwendet wird. Es wird verwendet, um launische Verhaltensweisen zu versüßen. Für Rituale im Zusammenhang mit Arbeit, Studium und Liebe.

Orange: Enthält die Energie von Rot und Gelb. Es ist ideal, um Harmonie, Geld und Freude anzuziehen. Es hilft uns, Entscheidungen zu treffen. Orange hat eine dynamische Energie, so dass es besonders nützlich sein wird, jedes Ritual zu verbessern, das wir durchführen.

Blau: Es ist spektakulär, Spannungen, Konflikte oder schwierige Situationen zwischen Menschen zu zerstreuen. Um sich mit der spirituellen Welt zu verbinden, für Rituale der Liebe und Arbeit.

Ich weiß und Gold: Sie sind vorteilhaft, um positive Energien anzuziehen. Sie ersetzen die anderen Kerzen, insbesondere die weiße, *indem sie alle Farben enthalten. Die meisten Rituale können ausschließlich mit weißen Kerzen durchgeführt werden.*

Rot: *Sie werden am häufigsten in Liebeszaubern verwendet, da sie die Farbe des Blutes und des Herzens darstellen, obwohl sie in Zaubersprüchen dienen, die sich auf Gesundheit und körperliche Stärke beziehen. Sie dienen als Channeler, um jede Energie zu aktivieren, die stagniert.*

Rosa: *Seine Schwingung ist höher als Rot, weil es mit Weiß gemischt ist. Sie stehen für pure Liebe und Romantik. Es ist die Farbe des Mitgefühls und der Empathie.*

Grün: *Farbe der Fruchtbarkeit. Es zieht Gleichgewicht für Körper, Geist und Seele. Es ist eine Farbe, die mit Gesundheit verbunden ist; Es kann verwendet werden, um Krankheitssituationen zu lösen. Besonders nützlich bei Ritualen oder Zeremonien, die sich auf Finanzen oder Wohlstand beziehen.*

Lila und Lila: *Es ist das Ergebnis der Mischung von Rot und Blau. Für Rituale, die mit Finanzen und Erfolg zu tun haben.*

Silber und Grau: *Sie sind neutrale Farben; sie sind zwischen Schwarz und Weiß. Sie werden verwendet, um etwas Böses zu neutralisieren. Die silbernen Kerzen beziehen sich auf die Energie der Nacht und des Mondes, aus diesem Grund werden sie in Ritualen oder Nachtzeremonien verwendet, weil sie mit dieser Energie verbunden sind.*

Braun: *Diese Farbe hängt mit dem Boden zusammen, besonders wenn er noch nicht gepflanzt wurde. Wir müssen vorsichtig sein, wenn wir es verwenden, weil es Unsicherheit hervorrufen kann. Wenn Sie also verwendet werden, müssen Sie sehr genau angeben, was Sie wollen, damit wir keine Effekte erzielen, die der Anforderung widersprechen. Es wird in Geschäftsritualen verwendet.*

Schwarz: *Es wird in Nekromantie-Riten verwendet und um negative Entitäten zu beschwören. Sie helfen, Hindernisse aufzulösen. Es kommt der lässigen Liebe zugute. Sie haben einen melancholischen Einfluss und deshalb müssen Sie unglaublich vorsichtig mit ihrer Verwendung sein. Sie* helfen, karmische Schulden zu lösen und Zauberei und schwarzmagische Werke loszuwerden.

Warum funktionieren meine Rituale nicht?

Es gibt unendlich viele Gründe, warum ein Zauber nicht funktioniert, und das ist, dass wir, ohne es zu merken, Fehler machen. Die Energie von Ritualen ist verschwendet, wenn viele Menschen wissen, was Sie tun. Wenn du Magie ausführen möchtest, verbreitst du sie nicht, du musst deine Energie für die Rituale sparen, die du praktizieren wirst. Diese Ära und ist eine der wichtigsten Regeln der Zauberer.

Es ist besonders wichtig, definiert zu haben, was das Ziel oder der Zweck des Rituals oder Zaubers ist, da dies der Arbeit, die wir tun, Vitalität verleiht. Wenn wir anfangen, mit Magie zu arbeiten, müssen wir genau wissen, welchen Zweck wir erreichen wollen. Wir müssen in der Lage sein, unseren Zweck in einem einzigen logischen Satz zusammenzufassen.

Wir müssen sicherstellen, dass wir alle Komponenten haben, die wir brauchen werden, und dass diese frei von negativen Energien sind. Jedes Ritual hat eine Liste für seine Vorbereitung, aber Sie müssen daran denken, dass wir Ersatz machen können, wenn Sie ein Element finden, können Sie es durch ein anderes ersetzen, und dies wird den gleichen Zweck erfüllen.

Unsere Stimmung ist der Schlüssel, unsere Emotionen müssen ausgeglichen sein und wir müssen uns sicher und optimistisch fühlen. Es sollte nicht die geringste Möglichkeit geben, dass wir einer anderen Person schaden wollen. Das Ergebnis eines Rituals hängt stark von Ihnen ab. Es ist wichtig, dass Ihre Emotionen mit der Methode übereinstimmen, zum

Beispiel: Wenn Sie Geld wollen, gehen Sie davon aus, dass Sie es in großen Summen erwerben werden. Der Ansatz beeinflusst das Ergebnis.

Um positive Ergebnisse zu erzielen, müssen wir sie zur richtigen Zeit praktizieren.

Diese magischen Perioden sind mit der Astrologie verbunden, und wir müssen sie kennen und unsere Rituale für diese Zeiträume planen, die am besten geeignet sind, um unsere Magie auszuführen.

Du solltest nicht gleichzeitig Zauber des gleichen Typs ausführen, da dies eine Kreuzung von Energien bewirkt. Konzentriere dich auf nur einen für das gute Ergebnis, für die einfache Tatsache, dass du es versuchst, wirst du nicht mehr richtig arbeiten, die bloße Idee, andere durchzuführen, reicht bereits aus, um das erste Ritual zu schwächen. Am sinnvollsten ist es, den ersten Job zu stärken.

Zaubere niemals um des Experimentierens willen, was Schwierigkeiten in deinem täglichen Leben verursachen könnte, da es seltsame Energien auslösen kann.

Unter besonderen Umständen, wie z.B. dringenden Situationen, wird das Ritual mindestens dreimal wiederholt, an aufeinanderfolgenden Tagen in derselben Woche, zur festgelegten Erdzeit und in einigen Fällen dreimal am selben Tag, aber immer zu den entsprechenden Zeiten.

Die vier Himmelsrichtungen sind grundlegend, um gute Ergebnisse in der Praxis der Magie zu erzielen. Die Himmelsrichtungen unterscheiden sich durch die Position der Sonne in Bezug auf die Erde: Norden, Süden, Osten, Westen.

Die Natur wird von diesen vier Punkten geleitet, so dass zu jedem von ihnen eines der rituellen Elemente gehört. Jeder besitzt einzigartige Qualitäten und Energien.

Im Norden *geht es um Land, Sicherheit und Beständigkeit. Es ist eine weibliche und fruchtbare Energie. Es wird durch Grün symbolisiert. Es ist mit der Gesundheit und der Kraft des Physischen verbunden. Dieser Punkt begünstigt Geldrituale und Erfolg.*

*Der **Westen** entspricht Wasser, ist emotional, sensibel, meist durch Blau dargestellt. Die Praktiken, die diesem Kardinalpunkt gewidmet sind, aktivieren alle Arten von Problemen.*

*Der **Süden** ist Feuer, er zeigt Energie, psychische Aktivitäten, Leidenschaft und Verlangen. Es ist eine männliche Energie. Es entspricht der Farbe Rot.*

*Der **Osten** repräsentiert die Luft, ist mit Intellekt, Kreativität, Abstraktion und geistigen Fähigkeiten verbunden. Es ist eine männliche Energie; Seine Farbe ist gelb.*

Alle Elemente sind in unserem Leben von größter Bedeutung, und sie haben sowohl positive als auch negative Eigenschaften. Es ist wichtig, sie zu kennen, um die Energien richtig zu kanalisieren und zu schützen.

Alle magischen Rituale können mit einer Anrufung der Himmelsrichtungen und der Bildung eines Energiekreises beginnen, innerhalb dessen die heiligen Wesen angerufen werden. Jeder dieser geografischen Punkte hat eine bestimmte Schwingung, günstig zu wissen, um sie in unseren Ritualen zu nutzen.

Die Magie der Zeit

Welcher Tag und welche Tageszeit werden von dem Planeten bestimmt, der den Zweck des Rituals bestimmt?

Jeder Tag hat seine eigenen konkreten Energien und seine eigene Magie. Das Geheimnis besteht darin, diese Verbindungen auf praktische Weise in Richtung Ihrer Zaubersprüche und magischen Werke kanalisieren zu können.

Eine der Weisheiten, die von Praktizierenden der Magie und Esoterik am meisten respektiert wird, ist der Nutzen planetarischer Stunden, verstanden als die zeitlichen Räume, die unter den energetischen Einflüssen eines bestimmten Planeten stehen.

Magische planetarische Korrespondenzen sind einfach zu bedienen. Du musst üben, wie du sie integrieren kannst, denn es verstärkt deine Magie und die Kraft deiner Zaubersprüche. Wenn Sie anfangen, diese Korrespondenzen zu studieren, werden Sie feststellen, dass Ihre Zaubersprüche oder Glücksbäder zuvor nicht funktioniert haben.

Jeder Tag hat 24 Planetenstunden, aber im Gegensatz zu den Stunden, die wir traditionell kennen, sind sie nicht auf 60-Minuten-Perioden beschränkt, sie können es sein.

Es gibt 12 Tages- und 12 Nachtstunden. Die Planetenstunden erstrecken sich tagsüber von Sonnenaufgang bis Sonnenuntergang; während die nachtaktiven von der Dämmerung bis zum Morgengrauen am nächsten Tag gehen.

Die planetaren Tagesstunden werden verwendet, um eine bestimmte magische Absicht zu aktivieren, während die nächtlichen

Planetenstunden, weil sie von einer anderen Art von Energie durchdrungen sind, dazu dienen, zu verstärken, in diesem Moment werden die Sinne geschärft.

Zusätzlich zu ihrer Verwendung für unsere magische Arbeit können wir planetarische Stunden nutzen, um das Beste aus unserem Tag zu machen. Im Falle eines besonderen Tages, der Unterzeichnung eines wichtigen Vertrags, einer Reise, einer Party, eines romantischen Dates, des Kaufs eines Hauses usw. werden wir immer nach der günstigen Zeit in Bezug auf die Natur des Planeten suchen, die am besten zu uns passt.

Nach unserem Kalender beginnt der Tag um 00:00 Uhr nachts und endet um 00:00 Uhr am nächsten Tag. Für die astrologische und esoterische Tradition wird die Regentschaft der Tages- und Nachtstunden unter den sieben Planeten aufgeteilt, vom entferntesten zum nächsten.

In der Antike betrachteten Astrologen Planeten, die mit bloßem Auge unterscheidbar waren, und zeichneten die Geschwindigkeit jedes einzelnen auf, vom schnellsten bis zum langsamsten, um die Erde zu umkreisen: **Saturn, Jupiter, Mars, Sonne, Venus, Merkur und Mond.** *Und diese Reihenfolge müsst ihr lernen, um zu bestimmen, welcher Planet jede Stunde regiert. (Mond und Sonne sind Lichter, aber Astrologen in der Antike ignorierten es.)*

In der astrologischen Tradition wird jede Stunde des Tages von einem bestimmten Planeten regiert und der Zyklus dieser Stunden gab den Wochentagen den Namen. Die alten Chaldäer waren diejenigen, die den Sieben-Tage-Kalender einführten, der den Namen der Götter und Planeten entsprach, und sie gleich nannten.

Sie bemerkten, dass sich die Länge der Tage je nach Jahreszeit änderte, dass zweimal im Jahr, bei der Frühlings- und Herbst-Tagundnachtgleiche, die Tage gleich lang waren wie die Nächte. Aus diesem Grund teilten sie jeden 24-Stunden-Tag in zwei 12-Stunden-Teile auf.

Tagesstunden, von Sonnenaufgang bis Sonnenuntergang.

Die Nachtstunden, von Sonnenuntergang bis Sonnenaufgang.

Die Wahl der Planetenzeit liegt in der Wahl der günstigsten planetarischen Energie für das Ritual oder den Zauber, den wir ausführen werden.

Sunshine Hour: *Es ist eine spektakuläre Stunde für alle und für alle Aktivitäten, die für Treffen mit einflussreichen Personen (Chefs, Bankdirektoren, leitende Angestellte usw.) förderlich ist, um eine Verhandlung zu beginnen. Um unsere Ziele, unsere Berufungen, unsere Karriere zu organisieren, um Ehrungen zu erhalten.*

Um eine Gehaltserhöhung zu bitten, Präsentationen zu halten, in der Öffentlichkeit zu sprechen. Für Zaubersprüche, die sich auf Arbeit oder Geld beziehen. Rituale im Zusammenhang mit dem Erhalt von Beförderungen und Beförderungen, Beziehungen zu Vorgesetzten und dem Erreichen von Erfolgen.

Stunde der Venus: *Um unsere kreative Energie zu manifestieren (Malerei, Musik, jede künstlerische Arbeit). Für unsere Gesundheit, Vitalität und unser Selbstwertgefühl. Um Gold und Schmuck zu kaufen. Günstige Zeit für weibliche Themen, um unser Aussehen zu optimieren, zum Friseur zu gehen oder ästhetische Behandlungen zu erhalten.*

Geeignet zum Einkaufen, Dekorieren des Hauses, Ausgehen mit Freunden oder Liebesbegegnungen, eine Party, eine Reise, Bitten um Gefälligkeiten, Gründen eines Unternehmens und Ausführen von Investitionen.

Es ist die perfekte Zeit, um um Heirat zu bitten und zu heiraten. Auch, um nach einem Konflikt oder einem verbalen Kampf Frieden zu schließen. Für Zaubersprüche oder Rituale im Zusammenhang mit Liebe, Verträgen und Assoziationen.

Die Stunde des Planeten Merkur: *In dieser Stunde sind die Menschen ausdrucksstärker, selbst die zurückgezogensten, da Merkur der Planet der Kommunikation ist und, wenn er nicht rückläufig ist, ist es günstig, Telefonanrufe zu tätigen, wichtigen Korrespondenzen zu senden, zu schreiben, intellektuelle Themen im Allgemeinen zu schreiben, zu studieren, kurze Reisen zu unternehmen, Verträge zu unterzeichnen,*

Ihren Computer zu reparieren und Geschäfte zu machen. Zaubersprüche von Papieren, Verträgen.

Rituale im Zusammenhang mit Geschäfts- und Bankgeschäften; Grund- oder Sekundarstudium, Unterzeichnung von Verträgen und Kommunikation, Kurzreisen und alternative Medizin.

Die Stunde des Mars : Die impulsive Natur des Mars wird uns ermutigen, mutiger und weniger vorsichtig zu sein, also ist es kein guter Zeitpunkt, einen Streit zu beginnen, weil er in einem Kampf enden kann; noch eine Reise zum Zwecke einer Transaktion zu unternehmen, weil diese Stunde anfällig für Unfälle ist, aber für jede Aktivität, bei der Sie energischer sein müssen, wie zum Beispiel Übungen machen oder eine Situation, in der Mut gefragt ist. Es ist nicht gut, eine Partnerschaft einzugehen oder zu heiraten. Denken Sie daran, dass der Mars immer dazu neigt, konfliktreich zu sein.

Sie können Zaubersprüche gegen Feinde, Rituale im Zusammenhang mit Tapferkeit, Aktion und Eroberung ausführen. Es ist eine ratsame Zeit für chirurgische Eingriffe, da es die Heilungskapazität begünstigt.

Mond zeit: Der emotionale, weibliche und nährende Charakter des Mondes manifestiert sich in den Menschen und Funktionen der Mondstunde. Es ist förderlich für häusliche Angelegenheiten, für Gespräche mit Müttern und Frauen im Allgemeinen und für Familienangelegenheiten; um mit der Öffentlichkeit umzugehen, die Pflanzen zu kochen, zu essen, zu waschen und sogar zu gießen; um unser Haus zu dekorieren und gemütlicher zu machen. Familienzauber oder Liebe. Rituale im Zusammenhang mit dem Weiblichen, dem Zuhause und der Fruchtbarkeit.

Saturnzeit: Die Menschen scheinen in dieser Stunde zurückgezogener zu sein, da die Energien des Saturn immer dunkel sind, seine begrenzende Natur Probleme und Verzögerungen mit sich bringt; Es ist nicht ratsam, Verträge zu unterzeichnen, sich sozial zu verhalten oder etwas zu beginnen, aber es ist großartig, mit dem Bau eines Hauses zu beginnen, da Saturn die Strukturen, die Grundlagen und die Dauer *regelt. zum Kauf und Verkauf von Immobilien und Grundstücken. Auch, um abzureißen.*

Ausgezeichnete Zeit, um eine ältere Person um Rat zu fragen. Ein weiterer nützlicher Aspekt kann das Organisieren, Disziplinieren und langwierige Arbeiten sein. Ideal für Zaubersprüche gegen Feinde oder um etwas zu verzögern. Rituale im Zusammenhang mit Weisheit und professionellen Studien.

Jupiterstunde: *Der wohltuende Charakter von Jupiter wird sich in den Menschen und Aufgaben dieser Stunde widerspiegeln. Es ist günstig, Reisetickets für jeden Kontakt im Ausland zu kaufen. Um Berechtigungen in Unternehmen zu erlangen oder eine Hauptaktivität zu starten, ein Unternehmen zu gründen, ein Unternehmen zu eröffnen oder sich zu verpflichten.*

Um Gefälligkeiten von Autoritätspersonen zu erbitten, um Ehrungen zu erhalten, um Immobilien zu kaufen. Günstig für Geldzauber und rechtliche Angelegenheiten. Rituale im Zusammenhang mit Wohlstand und der Erlangung von Arbeitsplätzen. Um sich zu schützen, die Gesundheit wiederherzustellen und ein professionelles Studium zu beginnen.

Die Berechnung der Planetenstunden wird durch die Stunden von Licht und Schatten beeinflusst, die Sie haben. Die Zeiträume ändern sich je nach geografischem Ort, an dem Sie sich befinden, und der Jahreszeit (Frühling, Sommer, Herbst, Winter).

Um mit der Kraft planetarischer Stunden zu arbeiten und Ihre magischen Rituale zu verbessern, müssen Sie die Zeit des Sonnenaufgangs und Sonnenuntergangs in Ihrem Land kennen und dann die Anzahl der Minuten natürlichen Lichts durch 12 teilen (die Anzahl der Planetenstunden tagsüber).

Bad für die rückläufige Merkurperiode

Sie benötigen drei dieser Pflanzen: Raute, Salbei, Rosmarin, Lavendel, Minze oder Lorbeer.

Wählen Sie drei dieser Pflanzen, Sie können sie in Botanicals oder Esoterikläden bekommen. Nehmen Sie einen großen Topf, gießen Sie Wasser und stellen Sie die Pflanzen, bis sie vollständig kochen.

Wenn Sie die Zubereitung gekocht haben, lassen Sie sie abkühlen. Sie belasten es. Baden Sie auf die gleiche Weise, wie Sie es täglich tun. Nachdem Sie gebadet haben, machen Sie das Wasser der Pflanzen aus Ihrem Kopf und lassen es über Ihren ganzen Körper laufen.

Warten Sie einige Sekunden vor dem Trocknen, bis es eindringen und seine reinigende Wirkung entfalten kann. Trockne dich, wenn möglich, in der Luft, ohne Handtuch, und du wirst die Veränderung in deiner Aura spüren, von diesem Moment an wirst du bereit sein, deinen Zauber ohne Risiken oder Sabotage durch Mercury Retrograde zu üben.

Die besten Zeiten für Rituale im Zusammenhang mit Geld sind Sonntage während der Stunden des Planeten Jupiter, donnerstags während der Stunden der Sonne oder des Planeten Venus und freitags während der Stunden des Planeten Jupiter. Der Mond muss sich in seiner Halbmondphase und in einem dieser Zeichen befinden: Stier, Löwe, Waage, Schütze oder Wassermann.

Rituale für das Zeichen des Skorpions

Ritual für Geld am Tag der Sonnenfinsternis.

Benötigen:
-Eis
-Weihwasser
- Maiskörner
-Meersalz
- 1 Tongefäß
- Drei grüne Schwimmsegel
- Patronenpapier oder Pergament und Bleistift
- 1 neue Nähnadel

Schreiben Sie Ihre Anfragen über Geld auf Papier und unterschreiben Sie dann Ihren Namen mit der Nadel auf die Kerzen. Um Ihre Energie zu reinigen, verwenden Sie den Tonbehälter, in dem Sie das Eis und das heilige Wasser platzieren, in gleichen Anteilen fügen Sie drei Handvoll Meersalz hinzu.

Lege beide Hände in den Auflauf, damit du die negativen Energien, die du in dir hast, ausstößt. Nehmen Sie Ihre Hände aus dem Wasser, aber trocknen Sie sie nicht aus. Fügen Sie eine Handvoll Mais in die Schüssel und legen Sie Ihre Hände für drei Minuten wieder hinein.

Das letzte, was Sie tun werden, ist, die Kerzen mit Holzstreichhölzern anzuzünden und sie in den Behälter zu legen. Mit dem Feuer der drei Kerzen verbrennst du das Papier mit deinen Wünschen, und du wirst die Kerzen ausbrennen lassen.

Dieses Ritual muss genau zum Zeitpunkt der Sonnenfinsternis durchgeführt werden. Die Überreste dieses Zaubers vergräbst du irgendwo, wo die Sonne dir geben kann, denn auf diese Weise wird dein Verlangen weiterhin Energien empfangen.

Liebesritual am Tag der Sonnenfinsternis

Benötigen:
- *4 Esslöffel brauner Zucker*
- *16 Münzen*
- *4 Grüne Kerzen*
- *1 tiefer Brunnen mit reichlich Weihwasser*

Dieses Ritual muss vier Tage lang durchgeführt werden, beginnend an einem Donnerstag zur Zeit der Sonne. Wählen Sie einen ruhigen Ort im Haus. Sie werden einen Kreis mit den Münzen um den Brunnen machen und eine Kerze auf der rechten Seite platzieren. Zünden Sie die Kerze an und gießen Sie die vier Esslöffel Zucker ins Wasser, während Sie an all den materiellen Wohlstand denken, den Sie sich wünschen.

Wählen Sie die vier Münzen, die der Kerze am nächsten sind, und werfen Sie eine nach der anderen ins Wasser, während Sie Ihre Geistführer bitten, niemals Geld in Ihrem Haus zu verlieren. Lass die Kerze erlöschen. Wiederhole das Ritual für die nächsten drei Tage. Es wird empfohlen, dass Sie vor der Durchführung dieses Rituals Ihr

Zuhause mit Zucker mit dem vorherigen Ritual oder einem anderen Weihrauchbrenner reinigen.

Kubanisches Ritual für den Überfluss

Benötigen:
-1 Esslöffel Honig
-1 Esslöffel Weiß- oder Apfelessig

Während der Mondsichel, bevor Sie zur Arbeit gehen, und zur Zeit des Planeten Jupiter oder Venus, waschen Sie Ihre Hände, wie Sie es routinemäßig tun. Dann spülen Sie sie mit Essig, gießen Sie Honig auf sie und spülen Sie sie erneut, aber trocknen Sie sie nicht, während Sie dieses Ritual wiederholen Sie in Ihrem Geist: "Das Geld wird kommen und bei mir bleiben." Dann applaudiert er, energisch.

Aztekischer Zauber für Gesundheit

Notwendige Elemente.

- 1 weiße Kerze.
- 1 Karte des Engels deiner Hingabe.
- 3 Sandelholzräucherstäbchen.
- Pflanzenkohle.
- Getrocknete Eukalyptus- und Basilikumkräuter.
- Eine Handvoll Reis, eine Handvoll Weizen.
- 1 weißer Teller oder Tablett.
- 8 Rosenblätter
- 1 Flasche Parfüm, persönlich.
- 1 Holzkiste.

Sie sollten die Umgebung reinigen, indem Sie die pflanzlichen Kohlen in einem Metallbehälter anzünden. Wenn die Kohlen gut beleuchtet sind, werden Sie nach und nach die getrockneten Kräuter platzieren und mit dem Behälter durch den Raum gehen, so dass die negativen Energien beseitigt werden.

Nach dem Weihrauch müssen Sie die Fenster öffnen, damit sich der Rauch auflöst. Bereiten Sie einen Altar auf einem Tisch vor, der mit einer weißen Tischdecke bedeckt ist. *Legen Sie die gewählte Karte darauf und platzieren Sie die drei Weihrauch in Form eines Dreiecks.*

Sie müssen die weiße Kerze weihen, dann anzünden und sie zusammen mit dem unbedeckten Parfüm vor den Engel stellen. Du musst entspannt sein, dafür musst du dich auf deine Atmung konzentrieren.

Visualisiere deinen Engel und danke ihm für all die gute Gesundheit, die du hast und die, die du immer haben wirst. Diese Dankbarkeit muss aus der Tiefe eures Herzens kommen.

Nachdem Sie sich bedankt haben, geben Sie ihm als Opfergabe die Handvoll Reis und die Handvoll Weizen, die Sie in das Tablett oder den weißen Teller legen müssen.

Streuen Sie alle Rosenblätter über den Altar und danken Sie erneut für die erhaltenen Gefälligkeiten. Nach dem Dank lassen Sie die Kerze brennen, bis sie vollständig verbraucht ist.

Das letzte, was Sie tun sollten, ist, alle Überreste von Kerze, Räucherstäbchen, Reis und Weizen zu sammeln und sie in eine Plastiktüte zu legen und an einen Ort zu werfen, an dem es Bäume ohne die Tüte gibt.

Die Engelskarte zusammen mit den Rosenblättern legen Sie sie in die Schachtel und legen Sie sie an einen sicheren Ort in Ihrem Zuhause.

Das energetisierte Parfüm, das du verwendest, wird es verwenden, wenn du fühlst, dass die Energien sinken, während du deinen Engel visualisierst und um seinen Schutz bittest. Dieses Ritual ist am effektivsten, wenn Sie es an einem Donnerstag oder Montag zur Zeit von Jupiter oder dem Mond durchführen.

Zauber, um beim Glücksspiel zu gewinnen.

Dieser Zauber ist super effektiv, wenn Sie es an einem Freitag zur Zeit des Planeten Venus oder Jupiter tun.

Sie sollten Ihre Brieftasche oder Handtasche nehmen und etwas grobes Meersalz hineinlegen. Sie müssen auch eine Banknote mit hohem Nennwert platzieren.

Sie schließen das Portemonnaie und binden es mit einem goldenen Band zusammen. Während Sie es binden, wiederholen Sie laut: "Dieses mächtige Salz des Überflusses wird mein Geld vervielfachen und das Glück im Spiel zu mir ziehen." Sie müssen die Brieftasche für eine Woche unter Ihrem Kopfkissen lassen, nach dieser Zeit werfen Sie das Salz auf den Boden und der Schnabel wird in Ihrer Brieftasche (Sie sollten es nicht zum Spielen verwenden) neben einem Blatt männlicher Ruhe gelassen.

Ritual zur Eliminierung von Diskussionen

Sie sollten die vollständigen Namen von Ihnen und Ihrem Partner auf Papier schreiben. Du legst es unter eine rosa Quarzpyramide und wiederholst in deinem Kopf: "Ich (dein Name) bin in Frieden und Harmonie mit meinem Partner (dem Namen deines Partners), Liebe umhüllt uns jetzt und immer." Diese Pyramide mit den Namen müssen Sie in der Zone der Liebe in Ihrem Haus aufbewahren. Die Ecke unten rechts von der Haustür ist der Bereich von Paaren, Liebe, Ehe oder Beziehungen.

Die Pyramiden und die Liebe

Die Pyramiden ziehen Energie an, erhöhen die Vitalität, beseitigen schlechte Schwingungen, ziehen Wohlstand an und stärken die Liebe. Pyramiden in Ritualen sind unerlässlich. Es ist erwiesen, dass die Pyramiden als Katalysatoren und Channeler kosmischer Energien fungieren. Pyramidenrituale sollten in den Phasen der vierten Mondsichel durchgeführt werden. Magier verwenden Pyramiden, um jeden Zauber zu verstärken.

Ritual zur Reaktivierung der Leidenschaft

Sie sollten vor der sexuellen Aktivität eine rote Pyramide unter das Bett legen. Wenn Sie fertig sind, müssen Sie es dem Licht des Mondes im Halbmondviertel aussetzen. Dies wird dazu führen, dass die Wünsche und die Leidenschaft der anderen Person dir gegenüber zunehmen.

Ritual zur Beseitigung der Distanz

Du schreibst auf gelbes Papier deinen Namen und den Namen der Person, die du liebst. Sie platzieren es unter einer Selenitpyramide an einem Freitag zur Zeit des Planeten Venus oder der Sonne. Wenn Sie diese Operation durchführen, wiederholen Sie in Gedanken: "Ich (sage Ihren Namen), ich rufe meinen Schutzengel an, um mich sofort zurückzubringen (Sie sagen den Namen der anderen Person) und nie wieder von meiner Seite zu weichen." Du lässt es so, bis die Person zurückkommt.

Schlechtes Energieneutralisierungsritual

Sie müssen ein Foto von sich und Ihrem Partner haben, auf dem beide am ganzen Körper erscheinen. Sie platzieren es unter einer gelben Pyramide. Diese Pyramide und das Foto werden es für immer so halten, an einem Ort, der nicht nur für Sie sichtbar ist. Jeden Monat zündest du in der

Vollmondphase zwei Kerzen an, eine rote und eine blaue vor der Pyramide mit dem Foto darunter.

Glücksquarz

Wir alle fühlen uns von Diamanten, Rubinen, Smaragden und Saphiren angezogen, offensichtlich sind es Edelsteine. Halbedelsteine wie Karneol, Tigerauge, weißer Quarz und Lapislazuli werden ebenfalls sehr geschätzt, da sie seit Tausenden von Jahren als Ornamente und Symbole der Macht verwendet werden.

Was viele nicht wissen, ist, dass sie für mehr als ihre Schönheit geschätzt wurden: Jeder hatte eine heilige Bedeutung, und ihre heilenden Eigenschaften waren genauso wichtig wie ihr dekorativer Wert.

Kristalle haben auch heute noch die gleichen Eigenschaften, die meisten Menschen kennen die beliebtesten wie Amethyst, Malachit und Obsidian, aber es gibt derzeit neue Kristalle wie Larimar, Petalit und Phenacite, die bekannt geworden sind.

Ein Kristall ist ein fester Körper mit einer geometrisch regelmäßigen Form, Kristalle wurden bei der Erschaffung der Erde gebildet und haben sich weiter verwandelt, als sich der Planet verändert hat, Kristalle sind die DNA der Erde, sie sind Miniaturspeicher, die die Entwicklung unseres Planeten über Millionen von Jahren enthalten.

Einige waren einem enormen Druck ausgesetzt, andere wuchsen in tief unter der Erde vergrabenen Kammern auf, andere tropften ins Dasein. Welche Form sie auch haben, ihre Kristallstruktur kann Energie absorbieren, konservieren, fokussieren und abgeben. Das Herzstück des Kristalls ist das Atom, seine Elektronen und Protonen. Das Atom ist dynamisch und besteht aus einer Reihe von Teilchen, die sich in ständiger Bewegung um das Zentrum drehen, so dass, obwohl der Kristall bewegungslos erscheinen kann, es sich um eine lebende Molekülmasse handelt, die mit einer bestimmten Frequenz schwingt, und dies gibt dem Kristall die Energie.

Die Edelsteine waren früher ein königliches und priesterliches Vorrecht, die Priester des Judentums trugen eine Plakette auf der Brust voller Edelsteine, die viel mehr war als ein Emblem, um ihre Funktion zu bezeichnen, weil sie Macht auf diejenigen übertrug, die sie benutzten.

Die Menschen haben Steine seit der Steinzeit verwendet, da sie eine Schutzfunktion hatten, um ihre Träger vor verschiedenen Übeln zu schützen. Die aktuellen Kristalle haben die gleiche Kraft, und wir können unseren Schmuck nicht nur nach ihrer äußeren Attraktivität auswählen, sie in unserer Nähe zu haben, kann unsere Energie steigern (orangefarbener Karneol), den Raum um uns herum reinigen (Bernstein) oder Reichtum anziehen (Citrin).

Bestimmte Kristalle wie Rauchquarz und schwarzer Turmalin könnten Negativität absorbieren, reine und saubere Energie emittieren.

Die Verwendung eines schwarzen Turmalins um den Hals schützt vor elektromagnetischen Emanationen, einschließlich der von Mobiltelefonen, ein Citrin wird nicht nur Reichtümer anziehen, sondern Ihnen auch helfen, sie zu behalten, ihn in den Teil des Reichtums in Ihrem Haus zu legen (der linke hintere am weitesten von der Haustür entfernt). Wenn Sie nach Liebe suchen, können Kristalle Ihnen helfen, platzieren Sie einen Rosenquarz in der Ecke der Beziehungen in Ihrem Haus (die rechte hintere Ecke am weitesten von der Haustür entfernt), seine Wirkung ist so stark, dass es bequem ist, einen Amethyst hinzuzufügen, um die Anziehungskraft zu kompensieren.

Sie können auch Rhodochrosit verwenden, Liebe wird sich auf Ihrem Weg präsentieren.

Kristalle können heilen und Gleichgewicht geben, einige Kristalle enthalten Mineralien, die für ihre therapeutischen Eigenschaften bekannt sind, Malachit hat eine hohe Kupferkonzentration, das Tragen eines Malachitarmbands ermöglicht es dem Körper, minimale Mengen an Kupfer aufzunehmen.

Lapislazuli lindert Migräne, aber wenn die Kopfschmerzen durch Stress verursacht werden, werden Amethyst, Bernstein oder Türkis über den Augenbrauen gelindert.

Quarz und Mineralien sind Juwelen von Mutter Erde, geben Sie sich die Gelegenheit und verbinden Sie sich mit der Magie, die sie ausstrahlen.

Skorpion
Weißer Quarz oder Bergkristall.

Ein Energieempfänger par excellence und Verstärker positiver Schwingungen auf allen Ebenen. Es hilft bei der geistigen Konzentration und verstärkt oder verstärkt den anderen Quarz. Es ist das therapeutisch am häufigsten verwendete.

Es symbolisiert Glück und wird manchmal verwendet, um eine Geburt zu ehren oder Frieden nach dem Tod anzubieten. Seine Hauptfunktion ist es, Gleichgewicht und Frieden zu schaffen, indem er Energien mobilisiert oder deaktiviert.

Es wird dir helfen, schlechten Zeiten, negativen Gedanken wie Schuldgefühlen oder emotionalen Problemen zu widerstehen. Es schützt Sie auch vor Ängsten und Ängsten. Seine heilenden Eigenschaften verbessern das Wissen und Betonen die geistige Beweglichkeit. Es hilft, sich schneller zu erinnern und zu lernen, da es das Wissen und die Hörfähigkeit erhöht.

Mit diesem Kristall werden Sie geduldig.

Feng-Shui und Liebe

Diese alte Technik gibt uns großartige Empfehlungen, die wir nach unseren Wünschen, Geschmäckern und Persönlichkeiten anwenden können.

Wenn Sie einen Partner suchen, müssen Sie die Ornamente in gerader Anzahl in Ihrem Haus haben. Vermeiden Sie Objekte zu dritt. Die Fotos müssen von zwei Personen sein, Sie müssen vier oder sechs Kissen haben, die Blumen in den Vasen müssen vier, sechs oder acht sein, die Utensilien, die Nachttische des Schlafzimmers müssen zwei sein, die Gläser usw.

Der Raum, in dem Sie die meiste Zeit in Ihrem Zuhause verbringen, und Ihr Büro sollten ein Gleichgewicht zwischen männlicher und weiblicher Energie haben. Es enthält Ornamente wie Enten, Größe und Farbe sind nicht wichtig, aber sie sind paarweise. Rosenquarz sind Symbole der Liebe, der Phönix und der Drache symbolisieren Yin und Yang, Pfingstrosenblüten ziehen Liebe an und die gelbe Farbe ist hervorragend für die Stabilität.

Im Feng-Shui liegt der Liebessektor im Südwesten. Sie sollten diesen Punkt aktivieren, wenn Sie eine neue Liebe in Ihr Leben ziehen oder die Romantik in Ihrer Ehe noch einmal erleben möchten. Es gibt viele Elemente, die Sie verwenden können, um diesen Sektor zu aktivieren. Rosenquarz und herzförmiger Labradorit sind ein spektakuläres Symbol, legen Sie sie auf den Nachttisch. Quarzkristallkugeln oder rote Kerzen sind auch erstaunlich effektiv, aber sie müssen sieben sein. Jedes Tonornament aktiviert diesen Sektor. Legen Sie niemals Blumen an dieser Stelle.

Sie sollten niemals einen Spiegel oder Fernseher aufstellen, der das Bett reflektiert. Es gibt einen populären Glauben, dass der Spiegel oder die Reflexion des Fernsehens eine dritte Partei und Ehebruch zum Bett des Paares ruft. Frauen sollten rechts schlafen und Männer links. Das Bett sollte niemals zur Tür zeigen, wenn Sie die Fruchtbarkeit erhöhen möchten, stellen Sie Elefanten auf die Liebesseite. Wenn Sie Untreue vermeiden möchten, verbinden Sie eine natürliche Amethyst-Geode mit einem roten Band neben dem Bein des Bettes, auf dem Teil der Füße auf Ihrer Seite.

Das Symbol des doppelten Glücks sollte in Ihrem Teil der Liebe oder des Schlafzimmers sein, da es eine große Fähigkeit hat, Liebe und eheliche Harmonie anzuziehen. Sie sollten nur einen haben, sonst wird seine Wirkung neutralisiert.

Dieses Symbol hilft auch Singles, ihren Seelenverwandten zu finden. Sie sollten es an ihren Armbändern oder Charms tragen.

1

Symbol des doppelten Glücks.

Reinigung Ihrer Amulette oder Talismane

Eure Amulette und Talismane werden mit der Zeit kontaminiert und sammeln negative Energien. Deine Stimmungen verschmutzen es auch. Deshalb ist es ratsam, sie zu reinigen und aufzuladen.

Es gibt mehrere Methoden, und sie sind alle einfach:

Amethyst: Sie müssen den Talisman oder das Amulett auf oder in eine Holzkiste mit Amethyst legen, er sammelt alle negativen Energien, die er imprägniert hat.

Sonnenlicht: Lassen Sie sie 24 Stunden lang dem Sonnenlicht ausgesetzt. Die Sonnenstrahlen sind wie ein magischer Radiergummi.

---

1. http://www.esoterismomagia.com

Mondlicht: Sie müssen Ihr Amulett oder Talisman unter das Licht des Vollmondes stellen, wenn Sie sie begraben können, ist es viel besser.

Rauch: Geben Sie Ihrem Amulett oder Talisman den Rauch eines heiligen Stockes oder Salbeis.

Meersalz: Legen Sie Ihr Amulett oder Talisman in einen Behälter und bedecken Sie es mindestens zwölf Stunden lang mit Meersalz.

Astrallarven und Energieparasiten

Alles, was in dieser Welt existiert, ernährt sich von etwas. Wir ernähren uns von festeren Dingen, von Nahrung, die von der Erde kommt, von Tieren, und die subtileren Wesen ernähren sich von uns und von unseren Gedanken. Es ist die Art und Weise, wie jeder überleben muss.

Jeder von uns besitzt eine gewisse Menge an Lebensenergie. Das ist es, was uns ausgeglichen leben lässt, in einem guten Zustand körperlicher und emotionaler Gesundheit. Oft erkennen wir jedoch, dass unser Gleichgewicht beeinträchtigt ist und dass wir unser Leben nicht so genießen können, wie wir es können.

Viele können die Ursachen für unser Ungleichgewicht sein. Eine der häufigsten Ursachen ist jedoch die Wirkung der sogenannten Astrallarven.

An Orten, an denen sich negative Energie stagniert, wie Krankenhäuser, Friedhöfe usw., besteht die Gefahr, eine dieser Astrallarven zu erwerben. Sie werden auch während des sexuellen Aktes übertragen, weil darin nicht nur ein Austausch von Flüssigkeiten, sondern auch ein emotionaler Austausch und Energien stattfindet.

Diese Parasiten ernähren sich von der Lebensenergie von Menschen, die einen Moment physischer oder psychischer Schwäche durchmachen, sowie von denen, die normalerweise magische Prozesse ausführen, die eine große Menge an Energie erfordern.

Die Methoden, mit denen Astrallarven füttern, variieren je nach Merkmal. Zunächst die Größe der Larve. Es ist üblicher, junge oder kleine Larven zu finden, es kann auch vorkommen, dass wir echten Monstern von beträchtlichen Dimensionen gegenüberstehen.

Kleine Astrallarven neigen dazu, sehr häufig von einem Wirtskörper zum anderen zu springen, normalerweise wenn sie es geschafft haben, einen Großteil der Lebensenergie ihres Opfers aufzunehmen.

Je größer die Larven erwartungsgemäß sind, desto größer ist die Gefahr, die sie darstellen. Sie konnten sich viel aggressiver von ihrem Opfer ernähren, bis es völlig leer blieb. Die großen Astrallarven wechseln die Beute nur im Falle des Todes der Person oder durch ein Opfer, das ihnen eine größere Nahrungsquelle bietet.

Menschen, die diesen Parasiten zum Opfer fallen, berichten von einem Gefühl ständiger Müdigkeit, das sich nicht zu verbessern scheint, selbst wenn man sich um die Stunden des Schlafes, der Fütterung oder der regelmäßigen Bewegung kümmert. Darüber hinaus sind sie mit der ständigen Präsenz negativer Gedanken konfrontiert.

Viele sagen sogar, dass sie vermuten, dass sie nicht zu ihnen gehören, weil sie keine gemeinsamen Gedanken in ihnen sind. Es ist normal bei Opfern von Astrallarven die häufige Entwicklung emotionaler Reaktionen wie Aggression, Angst, Depression, Wut, Scham und Unbehagen.

Allgemeine Müdigkeit verursacht auch eine Abnahme des Immunsystems, was den Wirt für die Entwicklung anderer Symptome prädisponiert, die unter anderen Umständen im Körper nicht auftreten könnten.

Die Emission von Energie, die dieser Zustand verursacht, macht die Person zur spezifischen Quelle, die die Larve für ihre Entwicklung sucht.

Was sind sie?

Energieparasiten, auch Entitäten genannt, sind ätherische oder astrale Fragmente, Elementarwesen, Energien usw., die über verschiedene Kanäle an uns gebunden sind, wobei sie die wichtigsten während der

Schwangerschaft, während unserer Kindheit und besonders dann sind, wenn wir niedrige Energien oder ein niedriges Schwingungsniveau finden.

Diese Energieparasiten ernähren sich von unserer Lebensenergie, ernähren sich von unseren Ängsten und Frustrationen und verzehren uns nach und nach. Einige der Krankheiten, die in unserem physischen Körper auftreten, einschließlich Krebs, wurden durch diese Energieparasiten erzeugt.

Wo wohnen sie?

Diese Parasiten können sich in den physischen, ätherischen und astralen Körpern einnisten. Im physischen Körper sind sie normalerweise im Kopf untergebracht, in den Bereichen: dorsal, lumbal und sakral des Rückens, im Beckenbereich, in der Vagina oder Gebärmutter, im Dickdarm usw., im Allgemeinen in jeder inneren Höhle. Normalerweise werden die energetischen Parasiten, die sich in unserem physischen Körper einnisten, von den positiv geladenen Elementen unseres Körpers angezogen und bleiben in unserem Knochensystem.

Wie werden sie erkannt?

Erstens erzeugen diese energetischen Parasiten ein Verlangen, das uns zwingt, übermäßig zu konsumieren. Unter den Heißhungerattacken finden wir folgendes: Süßigkeiten und Pralinen, schwere Speisen wie Fleisch und scharfe Speisen, Kaffee, Tabak, Junk-Food, Alkohol und vor allem Zucker.

Seine Anwesenheit manifestiert sich auch durch Rückenschmerzen, zwischen den Schulterblättern oder dem Lendenbereich, zusätzlich zu übermäßiger Müdigkeit, Schlafstörungen, verschwommenem Sehen, dem Gefühl, ein zusätzliches Gewicht auf dem Rücken zu haben, als ob ein Rucksack getragen würde.

Da dies keine sichtbare Manifestation hat, wird das Vorhandensein von Astrallarven selten von Menschen entdeckt, die nicht dafür ausgebildet wurden. Sie manifestieren sich jedoch immer innerlich.

Schlafprobleme und Albträume sind häufig. Einige Menschen haben von einem Engegefühl in der Brust berichtet, z. B. von einer Kraft, die sie nach unten drückt.

Die persönliche Stimmung wird verschlimmert, bis zu dem Punkt, an dem unerklärliche Panikattacken und Krankheiten mysteriösen Ursprungs auftreten können.

Laut Experten hängen vierzig bis sechzig Prozent der Probleme, die die Psyche der Person beeinträchtigen, mit der Teilnahme einer kleinen Larve zusammen, wenn auch vorübergehend. Und von fünf bis zehn Prozent sind Astrallarven für das ganze Problem verantwortlich.

Um uns vor Astrallarven zu schützen, können Sie einige einfache Lösungen finden, obwohl es wie immer am besten ist, sie zu verhindern, bevor sie installiert werden. Dafür gibt es diejenigen, die empfehlen, den Energiekörper so weit wie möglich zu begrenzen. Auf diese Weise kann die Person unbemerkt bleiben und nicht als potenzielles Opfer auffallen.

Es ist gut, Kampfer oder Zitrone zu verwenden, um sie fernzuhalten.

Wenn Sie jedoch bereits ein Opfer von Astrallarven kennen und ihnen helfen möchten, ist es wichtig, dass die Größe der betreffenden Larve unterschieden wird.

Astrale Kreaturen nutzen oft Angriffe aus, während Menschen schlafen, obwohl es Kräfte gibt, die angreifen, während man wach ist, und sie sind zu beängstigende Dinge, weil sie viel stärker sind. Abgesehen von körperlichen Angriffen gibt es mentale Attacken, die viel subtiler sind und von denen man sagen kann, dass sie ein Opfer aller sind.

Diese negativen Kreaturen, die in der Astralwelt (Welt der Emotionen) leben, ernähren sich von unseren negativen Emotionen wie Wut, Angst, Traurigkeit, Depression und lassen sich von diesen Emotionen verzehren, lassen sich von diesen Kreaturen verzehren, und deshalb fühlst du diese starke, unkontrollierbare Emotion.

Natürlich, so wie wir Tierfarmen machen und dann ihre Nahrung konsumieren, bereiten uns diese Kreaturen auf einer emotionalen Ebene darauf vor, ihre Nahrung zu sein, und indem wir negative Gefühle hervorrufen, lassen wir uns von ihnen mitreißen.

Menschen sind die einzigen, die bestimmte Arten von Gedanken und Emotionen erzeugen können. Auf diese Weise füttert jemand, der von Angst verzehrt wird, diese Kreaturen, und diese Kreaturen verursachen irgendwie, dass Menschen bestimmte Arten von Angst fühlen.

Es gibt Ebenen und Ebenen in diesem Teil, und die Person mit wenig Willenskraft versinkt langsam in diesen negativen Gefühlen. Jemand beginnt als eine Person, die ihm Wut gibt, und dann wird er wilder, instinktiver, bis er auf eine andere Ebene geht und ein Mörder wird.

Wie man das Haus vor Larven oder Astralparasiten schützt

- Lassen Sie den Eintritt von Licht, besonders das natürliche, jeden Morgen die Fenster öffnen und die Erneuerung der Energie hereinlassen.

- Halten Sie Ihr Zuhause sauber und luftig.

- Sammeln Sie keine Dinge, die Sie nicht verwenden.

- Bewahren Sie keine kaputten Dinge zu Hause auf.

- Haben Sie keine alten Gegenstände zu Hause, es sei denn, Sie kennen ihre Herkunft.

- Vermeiden Sie übermäßige Spiegel in den Zimmern.

- Spielen Sie nicht mit einem Ouija-Brett.

- Spielen Sie nicht in verlassenen Häusern oder Friedhöfen.

- Übe keine schwarze Magie.

- Zünden Sie häufig Weihrauch, Essenzen und Kerzen in Ihrem Haus an.

- Nehmen Sie Wasserbäder mit Meersalz und Essig oder andere Arten von Bädern zur Reinigung der Aura. (Wenn Sie möchten, dass Sprays die Aura löschen, besuchen Sie die www.esoterismomagia.com²)

- Tragen Sie Quarz oder Kristalle in Accessoires.

- Haben Sie Gläser Wasser mit Meersalz in den Ecken Ihres Hauses unter Ihrem Bett und erneuern Sie sie, wenn sie schmutzig sind und schlechte Energien gesammelt haben.

-Reinigen Sie das Haus von innen heraus mit Meersalz.

- Es ist wichtig, Gegenstände im Haus zu haben wie: Engel, Elefanten mit dem Rüssel oben, Buddhas, Eulen, Frösche.

- Verwenden Sie tibetische Schalen oder Metallglocken, da dieser Klang Aura und Energie reinigt.

Sie müssen sich daran erinnern, dass keine Reinigung für eine lange Zeit helfen wird, wenn im Haus weiterhin eine Atmosphäre von Diskussionen, Lügen, Beleidigungen, Schmutz, Unordnung, Lastern usw. herrscht. Versucht also, eure Frequenz hoch vibrieren zu lassen, auf diese Weise werdet ihr dieser Art von Energien keine Gelegenheit geben, sich zu manifestieren und an eurem Leben und zuhause festzuhalten.

---

2. http://www.esoterismomagia.com

Objekte, die Wohlstand anziehen.

Um die negativen Energien zu beseitigen, die uns zurückhalten, können Sie verschiedene Optimierungen wählen, die Glück und Wohlstand anziehen.

- **Elefanten Statuette für viel Glück.** Es symbolisiert Macht und Stärke, zieht Glück und Weisheit ins Haus. Der perfekte Ort, um dieses Amulett zu platzieren, ist die Eingangshalle des Hauses, die nach innen schaut, Wohlstand begrüßt und hereinlässt.

- **Bambus für Wohlstand.** Um Erfolg und Wohlstand anzuziehen, behaupten Asiaten, dass Bambus ausgezeichnet ist.

- **Hufeisen.** Es ist einer der beliebtesten Talismane, um Glück anzuziehen. Seine halbkreisförmige Form ist mit der Fruchtbarkeit und dem Eisen verbunden, mit dem es zur Macht gebracht wird. Damit es als Amulett funktioniert, ist es ratsam, es mit den Enden nach oben an die Tür zu hängen.

Auf diese Weise wird es zu einem Behälter für astrale Kräfte. Idealerweise sollten Sie nach einem Hufeisen mit sieben Löchern suchen, da dies die Ahnenzahl ist, die mit Glück verbunden ist.

- **Fisch.** Der Goldfisch ist eines der acht heiligen Symbole Buddhas, als solcher gilt er als Talisman des Reichtums und des Glücks. Aber es muss nicht nur Gold sein. Fischfiguren können auch aus Silber, Kristall oder sogar in Holz geschnitzt sein und können im Haus gelassen oder in Schmuck verwendet werden. Sie ziehen nicht nur gute Energie an, sondern schützen den Träger auch vor Pech.

- *Katze des Glücks.* Dieser Talisman japanischen Ursprungs ist einer der bekanntesten im Westen. Das Kätzchen mit erhobener Hand als Zeichen lädt gute Energien ein, das Haus oder den Ort zu betreten. Die Katze kann überall im Haus platziert werden, das sichtbar ist, aber die Tür ist ausgezeichnet.

- *Auge des Horus.* Dieses traditionelle Amulett der ägyptischen Zivilisation wird seit der Antike verwendet, um Neid und den "bösen Blick" zu deaktivieren. Es wird auch angenommen, dass es Krankheiten vertreibt. Es ist normal, zwei Versionen des Auges zu finden: die linke, die den Mond symbolisiert, und die rechte, die die Sonne darstellt. Letzteres ist derjenige, dem die guten Energien zugewiesen werden.

- *Lächelnder Buddha.* Die Gestalt eines lächelnden Buddha im Haus zu haben, produziert Reichtum, Wohlstand und Geld. Es verwandelt auch die Energien des Hauses, so dass Ruhe und gute Laune vorherrschen.

- *Schildkröte.* Die Schildkröte steht für Gesundheit, Langlebigkeit, Stabilität und Gleichgewicht, sie als Haustiere zu haben, verheißt den Wohlstand der Guren. Die Statuette einer Schildkröte, die ihre Jungen auf dem Rücken trägt, stellt die guten Möglichkeiten dar, die sich uns in Zukunft bieten werden.

- *Kandelaber.* Der Kerzenständer muss sieben Arme haben, gehört zur hebräischen Tradition und gilt als Glücksbringer für Glück und Gleichgewicht in der Familie. Selbst in der esoterischen Welt stellt es ein Licht in der Dunkelheit dar. Um Fülle und Glück in das Haus zu locken, sollten Sie einen Miniatur-Kronleuchter hinter die Haustür Ihres Hauses hängen.

- *Das türkische Auge.* Historisch hat es dazu gedient, den bösen Blick aufzulösen. Wenn Sie ihn vor die Tür stellen, ist er der Träger des Glücks im Haus und fungiert als Beschützer gegen böse und schlechte Energien.

- *Vierblättriges Kleeblatt.* Es ist der Glücksbringer schlechthin, obwohl es sich um ein äußerst seltenes Exemplar handelt, das nur einmal *in 10.000 Fällen vorkommt. Jedes Kleeblatt repräsentiert ein Element des Glücks: Liebe, Gesundheit, Glück oder Wohlstand.*

*- **Alte Schlüssel.** Alte Schlüssel bringen Glück, besonders für die Wirtschaft von Haus, Geschäft und Arbeit. Sie symbolisieren das Öffnen von Türen, du neue Möglichkeiten.*

*- **Die Glocken.** Sie füllen das Haus mit guten Schwingungen und begünstigen die Zirkulation guter Energien, entfernen die negativen und ziehen die positiven an. Sie werden normalerweise an Türen oder in Terrassen platziert.*

*- **Die Würfel.** Sie symbolisieren die Zukunft und viel Glück. Sie müssen immer einen in Ihrer Brieftasche, Handtasche oder lose in Ihrer Tasche bei sich tragen.*

*- **Die Hand von Fatima.** In einigen Kulturen gilt es als Träger von Glück, Fülle und Gesundheit.*

*- **Kreuz.** Das Kreuz von Caravaca, das ägyptische und das keltische Kreuz sind Kreuze, die als Schutz vor Krankheiten gelten. Sie ziehen auch Wohlstand an.*

*- **Windwangen.** Sie sind berühmt dafür, positive Energie anzuziehen, in der Tat werden sie auch "Kommunikatoren von Engeln" genannt.*

*- **Kaninchenbein.** Weit verbreitet in der westlichen Kultur, ist es eines der beliebtesten und ältesten glücklichen Amulette für das Haus.*

*- **Blaue Farbe.** Es symbolisiert das Wasserelement, so dass es Fließfähigkeit erzeugt. Wenn Sie Ihr Geld leicht verlieren, fügen Sie diese Farbe zu Ihrem Haus hinzu.*

*- **Quarz.** Selenit, weißer Quarz und schwarzer Turmalin sind ausgezeichnete Wahl für Kristalle, die gute Energien anziehen. Verwenden Sie sie als Dekorationsstücke und stellen Sie sicher, dass Sie sie über Nacht in einem Fenster lassen, damit sie mit Energie aus dem Mondlicht aufgeladen werden.*

- **Delfinfigur**. Die Geschichten über das Glück, das Delfine anziehen, sind unglaublich alt und stammen von Seeleuten und Menschen, die auf See arbeiten.

Objekte, die Wohlstand behindern.

- *Unerwünschte Ornamente oder Geschenke.* *Du solltest keine Gegenstände aufbewahren, die dir von Leuten gegeben wurden, die du nicht magst, oder von jemandem, mit dem du abrupt oder problematisch eine Beziehung abgebrochen hast.*

- *Getrocknete Blumen, künstliche Pflanzen oder Asche einer verstorbenen Person. Vasen mit verwelkten Blumen oder Ornamente mit getrockneten Blüten sind in der Regel von schlechtem Omen. Gleiches gilt für künstliche Pflanzen und Blumen und die Asche eines Toten, da sie, da sie kein Leben haben, keine Energie fließen lassen und den Energiehaushalt des Hauses negativ stören.*

- *Kakteen oder dornige Pflanzen. Kakteen oder dornige Pflanzen sollten nicht zu Hause sein, da sie wirtschaftliche Probleme anziehen können.*

- *Zerbrochene oder fleckige Spiegel. Die Spiegel sollten immer sauber aussehen, wenn sie kaputt oder in schlechtem Zustand sind, sollten Sie sie wegwerfen. Laut Feng-Shui sollten sie niemals vor das Fußende des Bettes gestellt werden.*

- *Der Besen hoch. Wenn Sie den Besen in der Toilette aufbewahren, sollten Sie ihn nicht mit den Borsten hochlegen, das ist gleichbedeutend mit Pech und vertreibt Geld. Sie müssen es immer unten haben.*

- *Teile von toten Tieren. Tote Tierteile zu Hause zu haben, wie Felle, Muscheln, Hörner, Elfenbein, Schnecken oder ausgestopfte Arten, ist gleichbedeutend mit Pech. Glaube hat mit stagnierenden Energien zu tun. Ihr werdet den Tod in eurem Haus haben.*

- *Kleidung links oder in schlechtem Zustand. Es ist besonders wichtig, die Ansammlung von alter oder kaputter Kleidung zu vermeiden, die wir nicht mehr verwenden. Sie sind ein Hindernis, das es nicht erlaubt, die Energien des Hauses zu erneuern.*

- *Stellen Sie ein Aquarium in die Küche oder das Schlafzimmer. Wenn Sie ein Aquarium in der Küche oder im Schlafzimmer haben, machen Sie einen schweren Fehler. Laut Feng-Shui erfordern diese*

Bereiche mehr die Anwesenheit des Feuerelements und Wasser könnte es vernichten.

- **Ein alter Kalender.** Die Tradition besagt, dass das Anzeigen des falschen Jahres, Monats oder Tages eine Erinnerung an die Zeit ist, die vergeht, und dies wird Ihr Leben negativ schädigen, indem es Pech anzieht.

- **Eine gestoppte Uhr.** Eine Uhr steht still oder funktioniert einfach nicht, es ist besser, dass Sie sie nach chinesischer Tradition werfen, Pech anziehen, weil die Zeit auf ihnen stehen geblieben ist. Darüber hinaus ist es ein Zeichen für ein kürzeres Leben.

- **Fotos von Naturkatastrophen.** Fotos in Ihrem Zuhause, die Naturkatastrophen zeigen, sind Symbole des Unglücks. Nicht nur Bilder von Tod oder Zerstörung, sondern auch Fotos von Schneefall oder Regen.

- **Eine schwarze Tür.** (Nicht, wenn man nach Norden schaut). Laut Feng-Shui lädt ein schwarzes Tor nach Süden, Osten oder Westen zum Unglück ein.

- **Regenschirme oder Regenschirme im Haus.** Es ist einer der älteste bekannte Aberglauben an ein böses Omen. Ein Regenschirm gibt kein Unglück oder ist kein Symbol dafür, aber wenn man im Haus oder einem Interieur geöffnet wird, soll er Unglück anziehen.

- **Eine Axt im Haus.** Die Axt im Haus ist nicht nur ein Objekt des Unglücks, sondern auch des Todes.

Welches Sternzeichen ist das sicherste?

Selbstvertrauen hilft uns, auf die Hindernisse des Lebens vorbereitet zu sein. Wenn wir Sicherheit haben, wenn die Dinge nicht funktionieren, hilft uns Selbstvertrauen, es noch einmal zu versuchen. Selbstvertrauen oder Selbstvertrauen wird oft mit Selbstwertgefühl verwechselt, und obwohl sie miteinander verbunden sind, sind sie nicht gleich.

Selbstwertgefühl ist die allgemeine Wertschätzung einer Person für sich selbst, und Selbstvertrauen beschreibt die Einschätzung der Fähigkeit, ein Ziel auszuführen.

Nicht alle Sternzeichen haben das gleiche Maß an Sicherheit, es gibt einige, die super unsicher sind, aber andere haben ein unglaubliches Maß an Ausdauer und Selbstvertrauen.

Widder: *denkt, dass das Bitten um Hilfe ein Hinweis auf Minderwertigkeit ist, erkennt ihre Grenzen nicht. Um Hilfe bitten mutige und selbstbewusste Menschen.*

Stier: *Er hasst es, seine Komfortzone zu verlassen. Indem Sie Ihre Grenzen aus Angst vor Situationen, die eine neue Herausforderung darstellen, nicht erweitern, sabotieren Sie Ihr Selbstvertrauen.*

Zwillinge: *neigt dazu, ihre Handlungen als negativ zu bewerten. Sie werden überwältigt, wenn sie die Zustimmung anderer suchen, was ein Symptom der Unsicherheit ist.*

Krebs: *sieht seine Mängel, aber nicht seine Tugenden. Negative Gedanken über Ihre Fähigkeiten sind mangelnde persönliche Sicherheit.*

Löwe: *Es ist aggressiv sicher. Sie fühlen sich nicht verpflichtet, die Dinge auf eine bestimmte Weise zu tun, sie greifen das Problem auf die Weise an, die ihnen am bequemsten erscheint. Dies wird als Sicherheit bezeichnet.*

Jungfrau: *Sie lieben es, die Zustimmung anderer zu haben und ihre wahre Persönlichkeit zu opfern. Dieses Bedürfnis nach Anerkennung ist gleichbedeutend mit "Ich vertraue mir selbst nicht".*

Waage: riskiert nicht, aus Angst vor dem Scheitern oder falsch gewählt zu haben, zu vergessen, dass geplante Spontaneität nicht existiert. Indem du das, was wert ist, mit deinen Misserfolgen oder Erfolgen gleichsetzt, verdammst du dich ewig dazu, keine Sicherheit zu haben.

Skorpion: Sie sind motiviert von ihrem Wunsch zu wachsen und wann immer sie die Möglichkeit dazu haben, fühlen sie sich selbstbewusst. Sie haben keinen Raum, Zweifel zu empfinden.

Schütze: glaubt nicht an Umstände, sie gehen auf die Suche nach den Umständen, die sie wollen, und wenn sie sie nicht finden, stellen sie sie her. Sie sind selbstbewusst und bereit, von anderen missbilligt zu werden, weil sie von ihren eigenen Fähigkeiten überzeugt sind.

Steinbock: Sie maskieren ihre Unsicherheit, indem sie wettbewerbsfähig sind, weil sie auf diese Weise vermeiden, sich wie Versager zu fühlen. Er toleriert Misserfolge sehr schlecht und rechtfertigt seine Fehler immer, anstatt sie zu akzeptieren und daraus zu lernen.

Wassermann: Sie tolerieren nicht, dass alles, was mit ihnen verbunden ist, weniger als perfekt ist. Diese Selbstforderung und ständige Suche nach einer Perfektion, die es nicht gibt, ist Ausdruck von Unsicherheit.

Fische: leidet unter persönlicher Unsicherheit, einer Art von Unsicherheit, die sich von einem geringen Selbstwertgefühl ernährt. Diese Unsicherheit ist eine Folge einer Entscheidung, die negative Konsequenzen hat, und aus dieser Fische-Erfahrung schließe ich, dass Sie Ihren Kriterien nicht vertrauen können, um Entscheidungen zu treffen.

Selbstsicherheit ist heilend, denn wenn wir uns sicher sind, wer wir sind und welche Fähigkeiten wir haben, können wir nicht von den Meinungen anderer versklavt werden und ständig Anerkennung von anderen suchen. Es ist ein Prozess, durch den wir jede erreichte Leistung wertschätzen müssen, negative Kritik oder Manipulationen anderer vergessen und uns immer auf unsere Stärken verlassen müssen.

Beginnen Sie noch heute mit dem Aufbau Ihrer Sicherheit und Sie werden sehen, wie gut Sie sich fühlen werden.

Wie man Menschen erkennt, die nicht zu uns passen, ohne Fehler zu machen.

Das Leben ist gesättigt mit Menschen, die uns positive und negative Erfahrungen machen; Einige unterstützen uns und andere täuschen uns, weil wir alle unterschiedlichen Werteskalen haben. Es gibt profitable Beziehungen, andere nicht. Während einige Beziehungen gesund sind, sind andere schädlich, schwierig und überwältigend, es sind Beziehungen, die nicht zu uns passen.

Es gibt keine magischen Rezepte, um die richtigen Leute auszuwählen, ohne Fehler zu machen; In den Fehlern, Enttäuschungen und Erfolgen liegt das Lernen des Lebens.

Obwohl es keine magische Lösung gibt, können wir nicht verwirrt werden, denn es gibt immer Anzeichen, die uns begünstigen können, wenn wir entscheiden müssen, ob wir eine Person aus unserem sozialen Umfeld akzeptieren oder ablehnen. Sicherlich können uns einige Verhaltensweisen Signale geben und uns warnen, dass es am gesündesten ist, eine Barriere in die Mitte zu stellen und zu verhindern, dass die Person uns mit ihren schlechten Energien vergiftet.

Der Mensch ist das sozialste Tier aller Tiere, also brauchen wir andere absolut, als soziale Wesen, die wir sind, hinterlässt der Sozialisationsprozess Spuren in der Qualität unseres Lebens. Wenn wir uns bei den Menschen um uns herum sicher fühlen, ist unsere psychische

Gesundheit geschützt. Beziehungen zu unserer Familie, Freunden und Partnern bestimmen unsere psychische und emotionale Gesundheit.

Wir alle möchten uns mit Menschen identifizieren, die etwas zu unserem Leben beitragen, die etwas Besonderes sind, um angenehme Momente zu teilen, und die uns in schwierigen Momenten helfen. Verwandte, Freunde und Partner sind das Ideal von Menschen, zu denen wir angesichts einer Schwierigkeit gehen, angenehme Momente mit ihnen genießen und stattdessen erwarten, dass sie uns die Liebe und den Respekt bieten, den wir ihnen geben.

Alle Beziehungen haben Schwierigkeiten, Kontroversen und Fehler, aber wenn das nach einer Weile zur Norm in der Beziehung wird, symbolisiert es, dass Sie den falschen Weg gehen. Du fragst dich, wie du feststellen kannst, welche Leute nicht zu dir passen, und wirklich ist die Antwort kompliziert, da wir eine Beziehung nicht ablehnen können, nur weil sie in einem bestimmten Moment ein Missgeschick hatte.

Die Grenze zwischen normalen Beziehungsdiskrepanzen und hartnäckigen Konflikten ist sehr verwirrend. Unterschiedliche Ideologien, Überzeugungen, Gedanken und Meinungen zu haben, macht uns alle verschieden und kollidiert irgendwann, aber nicht aus diesem Grund sollten wir uns radikal trennen.

Alle Mitglieder einer Beziehung sollten mit Respekt behandelt werden, ihr Geschmack und ihre Bedürfnisse sollten auf ähnliche und ausgewogene Weise zufrieden sein, aber auf diese Weise zeigt es, dass eine Person die Beziehung genießt und die andere nicht, was der Prototyp einer schädlichen Beziehung und ein Alarmsignal ist. Jemand, der uns schätzt oder liebt, kritisiert uns nicht und erinnert sich täglich an unsere Fehler oder Fehler, die uns dazu verurteilen, in emotionalem Elend zu leben.

Wenn wir nicht auf ihrem Niveau sind und es keine Empathie gibt, ist die Beziehung es nicht wert. Es ist vorzuziehen, unsere psychische Gesundheit vor bitteren Vorwürfen zu bewahren.

Wenn deine Emotionen betroffen sind, weil die andere Person anfällig für Depressionen ist, destruktive Kritik absichtlich deine Energie absorbiert, und jedes Mal, wenn sie zusammenpassen, dich erschöpft oder irritiert zurücklässt, ist es eine Botschaft, dass du im Mittelpunkt einer Beziehung stehst, die nicht zu dir passt.

Wenn Sie eine Beziehung mit jemandem eingehen, der Sie dazu bringt, gegen Ihr Wohlbefinden zu handeln, wenn Sie nicht in der Lage sind, eine Anfrage abzulehnen, selbst wenn sie gegen Ihre Prinzipien und Werte verstößt, deutet dies darauf hin, dass Sie eine sozio-affektive Bindung aufgebaut haben, die Ihrer psychischen Stabilität schadet.

Obwohl es in menschlichen Beziehungen unvermeidlich ist, von Zeit zu Zeit zu kämpfen oder Missverständnisse zu haben, gibt es auch Menschen, die manipulativ sind, die es genießen, unsere Macht zu stehlen und unser Selbstwertgefühl zu sabotieren.

Ihre sexuelle Karte aus astrologischer Sicht.

Sexualität nimmt einen wichtigen Platz in unserem Leben ein. Es wird durch Gedanken, Fantasien, Wünsche, Einstellungen, Werte, Verhaltensweisen und zwischenmenschliche Beziehungen gelebt und ausgedrückt. Obwohl Sexualität all diese Dimensionen umfassen kann, können wir durch Astrologie eine sexuelle Karte entwerfen, die auf den Besonderheiten jedes Sternzeichens basiert.

__Widder,__ endlich ein Feuerzeichen, hat eine große Libido. Sex ist normalerweise impulsiv und energisch, es ist eines der Hauptabenteuer, die das Leben einem Arier bietet. Sie scheuen sich nicht, die Initiative zu ergreifen; Sie sind gewagt und sinnlich, sie mögen das Schroffe und das Erotische.

__Stier,__ sind die greifbarsten Liebhaber des Tierkreises, bevorzugen ausgedehnte olympische Sex-Sessions. Verführung und Vorspiel sind viel elementarer als ein überlaufener Orgasmus. Wenn sie sicher sind, dass die andere Person auf der gleichen erotischen Frequenz ist, können sie beruhigt sein, denn Stabilität ist in ihrem Leben von größter Bedeutung.

__Zwillinge,__ sie brauchen keine Romantik, um Sex zu haben, nur den Nervenkitzel einer enthusiastischen Affäre mit einer sexy Person. Geist und Sex sind in diesem Zeichen ein Hybrid, sie können intellektuell sein, wenn es um Sex geht. Sie sehen Sex als integralen Bestandteil jedes Bereichs ihres Lebens.

__Krebs__ können sie viel mehr geben, als sie erhalten, denn für sie gibt es mehr Möglichkeiten, Liebe zu zeigen als eine flüchtige sexuelle Begegnung. Da sie so methodisch sind, verlassen sie sich vollkommen auf die traditionellsten erotischen Positionen; Sie spüren, dass sie diejenigen sind, die arbeiten und sie fühlen lassen, was sie im Bett mögen.

__Löwe,__ liebe Sex wie ein Kolosseum, und sie lieben die Hauptshow. Dieses Zeichen des lüsternen Feuers lebt auf der Jagd nach Sex wie wilde Tiere. Sie sind angeborene Romantiker, sie sind magnetisiert durch

Verbindung, aber auch lässig, wenn es heftig und intensiv ist. Löwen brauchen Sex genauso wie Luft.

Jungfrau, *sie müssen gefesselt und angezogen werden, sie finden es schwierig, sich ganz hinzugeben, weil sie denken, dass es Liebe vor dem Sex geben muss. Zuerst sind sie korrekt und distanziert, aber sie sind ziemlich lüstern mit jemandem, dem sie wirklich vertrauen. Wenn sie sich verbinden, werden sie treu, erotisch und konstant sein.*

Waage, *Sie müssen sie sexuell mit einer kreativen Einstellung erobern, da sie sehr neugierig sind und nie müde werden, neue Dinge auszuprobieren. Sie nutzen Kommunikation und Lachen in ihren sexuellen Erfahrungen. Sie lieben es, von ihren Partnern dominiert zu werden. Der Dialog ist ihre Achillesferse, sie lieben das Andersartige und Exotische.*

Skorpion, *sie schätzen die tiefe emotionale Verbindung in ihren sexuellen Spielen, aber sie verlangen keine Verpflichtung. Sie ziehen es vor, Sex als Machtwerkzeug zu benutzen, um zu dominieren und zu manipulieren. Sie sind zurückhaltend, aber nicht traditionell. Als eines der intensivsten Zeichen sehnen sie sich nach erotischen Erfahrungen, die ihre Sexualität an ihre Grenzen bringen.*

Schütze *ist spontan, wenn es um Sex geht. Es kann Ihnen abwechslungsreiche Orgasmen und die Verwendung der anspruchsvollsten sexuellen Techniken garantieren. Sie genießen die emotionale Verbindung vollkommen, und diese Kommunikation gibt ihnen die Details, um ihren Liebhaber sexuell zu schätzen und zu begehren.*

Steinbock, *nur in absoluter Vertraulichkeit kannst du den legitimen, wilden Liebhaber entdecken, den du in dir hast. So wie er sich selbst fordert, will er auch beim Sex viel von anderen. Sie sind sinnlich und körperlich, wenn es um Sexualität geht, aber nicht so experimentell wie die anderen Zeichen, da sie Praktikabilität begünstigen.*

Wassermann, *sie finden es schwierig, ein langweiliges Sexualleben zu führen. Je mehr sexuelle Positionen, desto besser; Mit einem Wassermann werden Sie das Skript nie wiederholen lassen. Manchmal gewinnen sie* *eine intellektuelle Perspektive auf sexuelle Erfahrungen und könnten beim Sex mit Ihrem Geist spielen.*

__Fische__ sind sinnlich, affektiv und sensibel, Vertrauen hilft ihnen, ihre besten Bereiche in sexueller Ekstase zu erreichen. Die besten erotischen Interaktionen für sie sind, wenn sie das Gefühl haben, dass Sex ihre Seele der Seele der anderen Person näherbringt.

Die Sternzeichen und der Sinn für Humor.

Der Sinn für Humor als Persönlichkeitsmerkmal ist eine der Stärken des Menschen. Die Aufrechterhaltung einer positiven Stimmung hat psycho-physische Vorteile, da Lachen Stress und Angst reduziert und gute Laune fördert. Abhängig von der Bedeutung, die wir den Ereignissen unseres Lebens beimessen, wird dies bestimmen, wie wir uns fühlen und uns in zufriedene und gesunde Menschen oder unglückliche und kränkliche Individuen verwandeln werden. Die Suche nach dem lustigen Teil der täglichen Ereignisse gibt uns etwas Macht über sie und ermöglicht es uns, besser mit Schwierigkeiten umzugehen, weil Lachen das beste Werkzeug ist, um negative Emotionen zu neutralisieren.

Die Tierkreiszeichen haben ihre spezifischen Eigenschaften in Bezug auf Humor, und einige neigen dazu, lustiger zu sein als andere.

Widder: Obwohl sie sarkastisch und ironisch sind, sind sie lustig und tun ihr Bestes, um die Menschen um sie herum zum Lachen zu bringen. Seine Witze gehören zu den übertriebensten.

Stier: Obwohl es nicht sehr spontan ist und es an Improvisationsfähigkeiten mangelt, ist es oft lustig, ohne es zu wollen. Er ist auch einer von denen, die sich anstecken, wenn andere lachen.

Zwillinge: Er hat einen postgradualen Abschluss darin, über sich selbst zu lachen, und das ist spektakulär, weil sie niemandem mit ihrem Sinn für Humor schaden. Sie brauchen niemanden, um Spaß zu haben, sie tun es allein.

Krebs: Sie sind zutiefst ernst und schüchtern, aber wenn sie zuversichtlich sind, lachen sie laut über alles. Manchmal strahlen sie eine natürliche Anmut aus, die andere zum Lachen bringt.

Löwe: Er liebt es, andere zum Lachen zu bringen. Es ist schwierig, nicht zu lachen, wenn ein Löwe anwesend ist, sie machen sich Sorgen, ob Sie glücklich sind und ein Teil der Strategie, die sie verwenden, ist, das Unmögliche zu tun, um Sie zum Lachen zu bringen.

Jungfrau: Obwohl er über alles lacht, denken Sie nie daran, über ihn zu lachen. In der Privatsphäre ist er supernett.

Waage: Das aufrichtigste Lachen, das es gibt, ist das einer Waage, wenn er anfängt zu lachen, gibt es niemanden, der ihn aufhalten kann, aber sei unglaublich vorsichtig, weil er Sarkasmus beherrscht.

Skorpion: Sein Humor ist ironisch und sarkastisch; er kann ihn nur zum Lachen bringen, die wissen, wie man diese Art von Witzen macht.

Schütze: Sie sind die Freude an jedem Ort und machen alles zu einem unterhaltsamen Erlebnis. Wenn du es am wenigsten erwartest, bringt es dich zum Lachen oder lässt dich einen Witz verlieren, von dem du dich nicht zurückhalten kannst.

Steinbock: Sie identifizieren sich leicht mit schwarzem Humor. Sie lieben es, Witze zu machen, aber mit einer eleganten Kulisse voller Beleidigungen. Das Schlimmste ist, dass sie es mit so viel Sympathie tun, dass du am Ende laut lachst, auch wenn die Beleidigung gegen dich gerichtet ist.

Wassermann: Sie sind freundlich und spontan auf natürliche Weise, mit einem sehr typischen Humor, der sie in den schlimmsten Momenten lustig macht.

Fische: Er ist charmant, auch mit seinem Sinn für Humor und es ist einfach, ihn zum Lachen zu bringen, sie lachen sogar über Witze, die schlecht sind. Obwohl ihre Freude sporadisch ist, werden sie sich bemühen, Sie zum Lachen zu bringen.

Wir müssen immer lachen und einen Sinn für Humor haben, da wir auf diese Weise sozial fähiger werden.

Bibliografie

Einige Informationen wurden den von den Autoren veröffentlichten Büchern entnommen: Liebe für alle Herzen, Geld für alle Taschen und Horoskop 2022 und 2023.

Artikel im Nuevo Herald von einem der Autoren.

Über die Autoren

Zusätzlich zu ihrem astrologischen Wissen verfügt Alina Rubi über eine reichhaltige Berufsausbildung; Sie hat Zertifizierungen in Psychologie, Hypnose, Reiki, Bioenergetische Heilung mit Kristallen, Engelheilung, Traumdeutung und ist spirituelle Lehrerin. Rubi hat Kenntnisse der Gemmologie, mit der er Steine oder Mineralien programmiert und sie in mächtige Amulette oder Schutztalismane verwandelt.

Rubi hat einen praktischen und zielgerichteten Charakter, der es ihm ermöglicht hat, eine besondere und integrierende Vision von mehreren Welten zu haben, die Lösungen für spezifische Probleme erleichtert. Alina schreibt die Monatshoroskope für die Website der American Association of Astrologers; Sie können sie auf der www.astrologers.com Website lesen. In diesem Moment schreibt er eine wöchentliche Kolumne in der Zeitung El Nuevo Herald über spirituelle Themen, die jeden Sonntag in digitaler Form und montags in gedruckter Form erscheint. Er hat auch ein Programm und ein Wochenhoroskop auf dem YouTube-Kanal dieser Zeitung. Sein astrologisches Jahrbuch erscheint jedes Jahr in der Zeitung "Diario las Américas" unter der Rubrik Rubi Astrologa.

Rubi hat mehrere Artikel über Astrologie für die monatliche Publikation "Today's Astrologer" verfasst, hat Astrologie, Tarot, Handlesen, Kristallheilung und Esoterik gelehrt. Sie hat wöchentlich Videos zu esoterischen Themen auf ihrem YouTube-Kanal: Rubi Astrologa. Sie hatte ihr eigenes Astrologieprogramm, das täglich durch

Flamingo T.V. ausgestrahlt wurde, wurde von mehreren Fernseh- und Radioprogrammen interviewt, und jedes Jahr wird ihr "Astrologisches Jahrbuch" mit dem Horoskop Zeichen für Zeichen und anderen interessanten mystischen Themen veröffentlicht.

Sie ist Autorin der Bücher "Reis und Bohnen für die Seele" Teil I, II und III, einer Zusammenstellung esoterischer Artikel, die in Englisch, Spanisch, Französisch, Italienisch und Portugiesisch veröffentlicht wurden. "Geld für alle Taschen", "Liebe für alle Herzen", "Gesundheit für alle Körper", Astrologisches Jahrbuch 2021, Horoskop 2022, Rituale und Zaubersprüche für den Erfolg im Jahr 2022, Zaubersprüche und Geheimnisse, Astrologiekurse, Rituale und Amulette 2023 und Chinesisches Horoskop 2023 alle in fünf Sprachen verfügbar: Englisch, Italienisch, Französisch, Japanisch und Deutsch.

Rubi spricht perfekt Englisch und Spanisch, vereint all ihre Talente und Kenntnisse in ihren Lesungen. Er lebt derzeit in Miami, Florida.

Weitere Informationen finden Sie **auf der Website** ***www.esoterismomagia.com***[3]

Alina A. Rubi ist die Tochter von Alina Rubi. Derzeit studiert sie Psychologie an der Florida International University.

Als Kind interessierte sie sich für alle metaphysischen, esoterischen Themen und praktizierte Astrologie und Kabbala ab dem Alter von vier Jahren. Er hat Kenntnisse in Tarot, Reiki und Gemmologie. Sie ist nicht nur Autorin, sondern zusammen mit ihrer Schwester Angeline A. Rubi Herausgeberin aller von ihr und ihrer Mutter veröffentlichten Bücher.

Für weitere Informationen können Sie sie per E-Mail kontaktieren: ***rubiediciones29@gmail.com***

---

3.   *http://www.esoterismomagia.com*

Did you love *Skorpion Horoskop 2023*? Then you should read *Amulette und Rituale für den Erfolg 2023*[4] by Rubi Astrologa!

[5]

Die Welt macht derzeit schwierige Zeiten durch, daher schadet es nie, etwas zusätzliche Hilfe zu haben, um Liebe, Gesundheit und Fülle anzuziehen. Die Schutzamulette, die heute noch vorhanden sind, und die Rituale, die wir in diesem Buch anbieten, können Ihnen helfen, Ihr Leben zu verbessern.

---

4. https://books2read.com/u/3nX1j6

5. https://books2read.com/u/3nX1j6

Ingram Content Group UK Ltd.
Milton Keynes UK
UKHW020650050623
422889UK00016B/1694